Glee
Het begin

Sophia Lowell

Vertaald door Henriëtte Albregts

Gebaseerd op de succesvolle tv-serie van
Ryan Murphy & Brad Falchuk & Ian Brennan

moon

Tekst © Sophia Lowell
Oorspronkelijke titel *Glee – The beginning*
Copyright © 2010 Twentieth Century Fox Film Corporation.
GLEE TM & © Twentieth Century Fox Film Corporation.
Nederlandse vertaling © 2010 Henriëtte Albregts en Moon Uitgevers.
All rights reserved.
Omslagontwerp © Twentieth Century Fox Film Corporation
& Rob Krikke
Zetwerk ZetSpiegel, Best

ISBN 978 90 488 0823 6
NUR 283

www.moonuitgevers.nl

Moon is een imprint van Dutch Media Uitgevers bv.

moon
Dit boek is ook leverbaar als e-book:
ISBN 978 90 488 0824 3

Kamer van Rector Figgins, maandagochtend

Rachel Berry stond net lang genoeg stil buiten de kamer van rector Figgins om haar kniekousen recht te trekken en de zijkanten van haar ribfluwelen minirok glad te strijken. Met haar smetteloze *buttondown* en roze met groene Schotsgeruite spencer leek het alsof ze wilde uitschreeuwen: *Opgelet! Stuud in aantocht!* Niet dat rector Figgins eraan herinnerd hoefde te worden dat Rachel Berry bijzonder was. McKinley High was niet het soort *high school* waar leerlingen graag willen opvallen. Maar Rachel Berry viel op.

'Goedemorgen, mevrouw Goodrich.' Rachel richtte haar 220-volt-glimlach naar het zure gezicht van de secretaresse in het kantoortje voor de kamer van de rector. Mevrouw Goodrich rook altijd naar koekjesdeeg en om redenen die Rachel niet kon doorgronden keek ze haar altijd nors aan. Zo onredelijk, vond Rachel. Ze zou blij moeten zijn om eens wat anders dan een jeugdcrimineel bij de rector naar binnen te zien gaan.

'Is rector Figgins aanwezig?'

'Heb je een afspraak, Rachel?' De kraalogen van mevrouw Goodrich staarden dreigend over de rand van een piepklein multifocaal brilletje naar Rachel.

'Nee, maar rector Figgins heeft gezegd dat zijn deur altijd voor me openstaat.' Rachel koerste langs het bureau van mevrouw Goodrich en voelde ergens diep vanbinnen een hunkering naar koekjes opkomen. Terwijl haar platte ballerina's geen geluid maakten op het versleten fabriekstapijt en door de openstaande deur van de kamer van de rector stapten, kon ze de gedachte niet onderdrukken dat het eigenlijk best wel treurig was dat een rector geen mooie hardhouten vloer kon hebben. Maar Rachel zou zich niet verliezen in het uitzichtloze, lege bestaan van rector Figgins. Vandaag niet. Híj mocht dan gestrand zijn in een flutkamer in flut-Lima, Ohio, Rachel Berry daarentegen zou niet voor eeuwig in dit gat blijven. Niet als het aan haar lag.

Het eerste jaar was een beetje een afgang geweest voor Rachel. Ze had gedacht dat het eerste jaar van high school helemaal zou draaien om erkenning krijgen, om mensen helpen inzien dat zij echt ongelofelijk veel talent had. In plaats daarvan, telkens als zij bij geschiedenis haar hand had opgestoken om het – altijd juiste – antwoord te geven, hadden haar klasgenoten honend weggekeken. Telkens als zij bij wiskunde naar voren was gekomen om het – juiste – antwoord op het bord te schrijven, had iemand haar laten struikelen. En telkens als zij zich had willen aanmelden voor een rol – meestal de hoofdrol – in een van de vele toneelstukken van Shakespeare die ze lazen bij de Engelse lessen van meneer Horn, waren ze haar in de rede gevallen. Alleen in Lima werd je voor gek gezet omdat je weg wilde komen uit Lima.

Maar het dieptepunt van haar vernedering in het eerste jaar was de mislukte campagne voor de klassenpresidentverkiezing. Ze had met veel zorg grote kartonnen posters gemaakt waarop ze pro-Amerikaanse rood-wit-blauwe strepen combineerde met gouden sterren, haar signatuur. Die had ze zo goed gemaakt, ze zagen er gewoon bijna professioneel uit. Maar de posters, en de pakkende slogans die ze samen met haar papa's verzonnen had, waren stuk voor stuk op allerlei manieren vernield. Iemand had zelfs een dikke stift gepakt en STEM BERRY – ZE IS EEN STER veranderd in STEM BERRY – ZE IS DUISTER. Na de verkiezing, die de populaire Sebastian Carmichael gewonnen had (geheel volgens ieders verwachting), had Rachel gevraagd om een hertelling van de stemmen. Jessica Davenport, een van de officiële stemmentellers, vertelde Rachel dat geen enkele kandidaat in de geschiedenis van de school ooit zo weinig stemmen had gekregen. Ze zei dat ze de stemmen twee keer geteld hadden omdat ze dachten dat ze een fout gemaakt hadden. Niet dus.

'Rachel. Goedemorgen.' Rector Figgins keek vluchtig op van zijn bureau. Het raam achter hem toonde het parkeerterrein van de leerlingen in volle glorie. Leerlingen zaten achter auto's verscholen en paften de laatste trekjes van hun sigaretten. Een groepje footballspelers hing dreigend rond een paar eerstejaars. Waarschijnlijk om ze te bedreigen met gevangenschap in de chemische wc's onder de tribunes van het stadion. 'Ik heb het vandaag erg druk. Iemand heeft 40 liter blauwe kleurstof in het zwembad gegoten en het voltallige zwemteam is nu blauw.' Hij zuchtte diep. Als de rector geagiteerd was, werd zijn lichte Indiase accent altijd wat sterker. Als de dochter van twee homo's kon Rachel het waarderen dat Lima verrassend tolerant was, voor de *Midwest* dan.

'Mijn excuses voor de onderbreking, rector Figgins, maar het is extreem belangrijk.' Ze streek elegant neer in een van de stoelen tegenover zijn tafel, probeerde het onbeschaafde scheetgeluid te negeren dat de leren bekleding onder haar maakte en sloeg haar benen keurig over elkaar. Inderdaad, ze was geen eerstejaars meer. Het eerste jaar was niets meer dan een vage, slechte herinnering.

'Goed, Rachel.' Hij wreef over de donkere vlekken onder zijn ogen. Hij zag er nooit gelukkig uit, en Rachel vroeg zich ineens af of alles wel goed ging op het thuisfront. 'Waarom vertel je niet gewoon wat er aan de hand is?'

'Zoals u weet, rector Figgins, biedt McKinley High School schandalig weinig uitlaatkleppen voor podiumbeesten zoals ikzelf.' Dit was waar. Zolang zij zich kon herinneren hadden Rachels vaders haar ingeschreven voor elke activiteit die haar leuk leek: tapdansen en ballet en, eventjes, streetdance. Stemtraining, pianolessen, acteerlessen. Cursussen 'spreken in het openbaar'. Improvisatie. Schoonheidswedstrijden. Als het Rachel maar de gelegenheid gaf om in de spotlights te staan.

Maar zodra ze de high school betreden had, leek het wel alsof er ineens geen enkele mogelijkheid meer was om je op creatief gebied nog een beetje te ontwikkelen. Op high school was het allemaal politiek.

'Inderdaad.' Rector Figgins duwde zijn haar naar achteren, waardoor zijn kalende voorhoofd zichtbaar werd. 'Door de bezuinigingen is dit een heel gevoelig onderwerp. Ik weet niet of ik er iets aan kan doen.'

'Maar dat kunt u wel, meneer.' Rachel geloofde dat mensen nee zeggen omdat ze meestal gewoon te lui zijn om een oplossing te vinden.

'Vertel.'

Rachel had vanmorgen een complete toespraak voorbereid tijdens haar gebruikelijke dertig minuten op de crosstrainer in haar slaapkamer. Haar lichaam was haar tempel, en iedere ochtend stond ze vroeg op voor yoga of een cardiotraining. Deze routine hield haar in balans. 'Ik besefte dat er een creatieve uitlaatklep is die gewoonweg verwaarloosd wordt – en daar wil ik nieuw leven inblazen. De ochtendberichten.' Ze verhief sierlijk haar armen alsof ze net een Oscarwinnaar bekend had gemaakt.

'Maar mevrouw Applethorpe doet altijd...'

'Dat weet ik, meneer.' Mevrouw Applethorpe waakte over de absentenlijst en las daarnaast iedere ochtend tijdens het eerste uur de dagelijkse mededelingen voor door de intercom met het enthousiasme van een begrafenisondernemer. 'Maar ik geloof dat u het best eens iemand anders mag laten proberen. Iemand die de mededelingen echt een beetje kan *spicen*.' Het was moeilijk voor Rachel om rustig in haar stoel te blijven zitten nu ze voelde dat ze haar doel bijna bereikt had. Dit was toch de ideale manier om zichzelf – en haar fantastisch mooie stem – bekend te maken? Het was zo ongeveer het meest publieke medium van de school en het had best wat weg van een radio-uitzending. En ze had ook nog eens gegarandeerd publiek – niemand kon van zender veranderen! Veel belangrijke *celebrities* waren tenslotte met radio begonnen, zoals Ryan Seacrest van American Idol. Niet dat hij nou evenveel talent heeft als ik, dacht Rachel.

Rector Figgins leunde achterover in zijn stoel. 'Dat is niet eens zo'n slecht idee. Mevrouw Applethorpe klaagt vaak dat ze last heeft van duizeligheid als ze achter de microfoon moet staan.'

'Geweldig!' riep Rachel. Mevrouw Applethorpe blij, Rachel blij: een win-winsituatie.

Rector Figgins knikte, zijn lippen samenpersend tot een waarschuwend streepje. 'Alleen... je begint op proef. Twee weken.' Hij keek op zijn horloge. 'Je mag vandaag beginnen, als je op tijd in het absentenkantoortje bent.'

Tien minuten later was Rachel de microfoon aan het instellen op de juiste hoogte en haalde ze een harde haarborstel door haar donkere haar. Het maakte niet uit dat niemand haar kon zien; ze wilde gewoon op haar best zijn. De apparatuur in het absentiehok was nogal basic. Ze had niet de beschikking over de spullen waarmee ze graag zou willen werken, maar het was een begin.

'Je hoeft alleen maar op de rode knop te drukken en dit A4-tje voor te lezen,' zei mevrouw Applethorpe luidkeels terwijl ze achteruit het absentenkantoortje uit liep met een breiwerkje in haar hand.

'Dank u wel,' antwoordde Rachel beleefd, opgelucht dat mevrouw Applethorpe niet in het absentiehok bleef. 'Da da da da da da da da daaaa,' zong ze zachtjes om haar stembanden op te warmen. Vlinders fladderden wild in haar buik en ze voelde haar bloed vliegensvlug door haar aderen stromen. Iedere vezel van haar lichaam voelde springlevend, alsof ze ontwaakt was na een lange, slome winterslaap. Dit was waar het om draaide in het leven van een performer.

Ze drukte op het rode knopje.

'Goedemorgen, McKinley High. Dit is Rachel Berry met de dagelijkse mededelingen.' Ze haalde diep adem. 'Ik wil graag beginnen met een originele klassieker uit een musical die iedereen kent en waar we allemaal van houden, *Singing in the rain*.' Meteen zong ze uit volle borst haar interpretatie van 'Good Morning' en terwijl ze zong stelde ze zich voor hoe haar woorden meegevoerd werden door de luidsprekers van elk klaslokaal en hoe alle leerlingen in het gebouw ademloos luisterden naar haar prachtige stem. Ze stelde zich voor dat ze fluisterden: *Wie is dat? Rachel Berry? Ik had geen idee dat ze zo waanzinnig veel talent had!* Er was geen teken van mevrouw Applethorpe, dus het zag er niet naar uit dat haar show onderbroken zou worden. Ze was vast betoverd door Rachels stem. Of helemaal opgegaan in haar breiwerk. Hoe dan ook, Rachel rook de overwinning.

Na het zingen ging ze snel over tot de mededelingen. 'En dan nu het nieuws van vandaag. Ik hoop dat jullie allemaal komen naar de muziekvoorstelling van het najaar: 'Het regent muzieknoten!' Rachel vroeg zich af of ze zich zou moeten opgeven voor de voorstelling, maar ze was bang dat de school er nog niet klaar voor was om haar in volle glorie op het toneel te zien schitteren.

'En vanaf vandaag kun je stemmen op je favoriete *homecoming king* en *queen* van het jaar.' Gaap, dacht ze. Alsof het ooit een verrassing was wie gekozen werden. Het was altijd het mooiste, blondste meisje en de knapste, Ken-lookalike-achtige jongen. 'De king en queen worden bekendgemaakt en gekroond op het homecomingfeest waarop iedereen zich verheugt en dat volgende week vrijdag wordt gehouden na de homecoming footballwedstrijd.

Ik wil vanochtend eindigen met de uitreiking van de Rachel Berry Gouden Ster van de Week: een zeer speciale prijs die ik elke week uitreik aan iemand die iets bijzonders heeft gedaan om het leven op McKinley High te verbeteren.' Dit had ze gisteravond bedacht. Het leek haar een goed idee om iets terug te doen voor de school. 'Deze week wil ik de gouden ster geven aan...' ze pauzeerde voor het effect, 'mijzelf, voor het feit dat ik de ochtendmededelingen heb overgenomen en ze weer tot leven heb gebracht.' Ze was blij dat mevrouw Applethorpe niet meeluisterde. Het was misschien wel wat veel om de eerste gouden ster aan zichzelf uit te reiken, maar ze had de school een goede dienst bewezen. En wat was er mis met jezelf een klein schouderklopje geven als niemand anders dat ooit deed? 'Ik hoop dat ik jullie ochtend een beetje minder eentonig heb gemaakt. Tot morgen!'

Ze drukte op de *off*-knop en staarde naar de microfoon. Haar vingertoppen tintelden van het succes. Ze had de eerste grote stappen genomen die haar dit jaar zouden omtoveren tot iemand die bekend was en bewonderd werd. Wie weet, misschien werd ze volgend jaar wel tot homecoming queen gekozen. De gedachte gaf haar koude rillingen.

Terwijl ze het absentiehok verliet, gooide Rachel haar rugzak over haar schouders. De gang stond vol met leerlingen die met veel kabaal hun kluisjes openden en met jongens die elkaar zo'n jongensachtige schouderstomp gaven. Ze had maar een paar minuten om naar haar kluisje te gaan voordat de eerste les begon. Ze bloosde van opwinding. Ze voelde zich een nieuwe vrouw.

Maar... niemand leek haar aan te kijken. Ze staarde naar leerlingen die gewoon langsliepen, blind voor het feit dat zij zojuist een geweldige performance door de luidsprekers had gegeven. Was het mogelijk dat iedereen haar negeerde uit jaloezie voor haar overduidelijke talent? Van die gedachte werd ze weer wat vrolijker.

Ze keek op en zag Sue Sylvester, de lompe coach van de Cheerios. Rachel rechtte haar rug. Niet dat ze Coach Sylvester nou echt kon waarderen, maar ergens bewonderde ze de vrouw voor het feit dat ze er het beste van maakte. Het was ongetwijfeld een grote teleurstelling voor haar geweest om te eindigen als *cheerleading*-coach op een high school, maar Coach Sylvester had het cheerleading-programma van de school omgeturnd tot een van de beste programma's van de staat Ohio en had twaalf jaar achter elkaar de nationale cheerleading-kampioenschappen bereikt. De prijzenkasten aan de muren van de hoofdgangen in de school barstten uit hun voegen met gouden cheerleader-beeldjes.

'Ik hoop dat je er klaar voor bent om uitgekotst te worden door je medeleerlingen na jouw walgelijke vertoon van zelfverheerlijking vanmorgen.' Coach Sylvester haakte haar duimen achter de zakken van haar rode trainingspak.

'Wat?' flapte Rachel uit, maar Coach Sylvester liep alweer

door. 'Als ik geen reclame voor mijzelf maak, wie doet het dan wel?' riep Rachel de coach na.

'Hier heb je een gouden ster,' hoorde Rachel iemand zeggen terwijl ze zich omdraaide, maar vlak voordat de ijskoude rode *slushie* in haar gezicht terechtkwam, zag ze alleen een waas van footballspelers. Het gelach van de jongens galmde na terwijl ze wegliepen.

Diep ademhalen. Geslusht worden was niets nieuws. Die footballjongens moesten toch echt eens wat creatiever worden. Ze was het jaar ervoor minstens tien keer geslusht; daarom had ze altijd een schone set kleren in haar kluisje klaarliggen. Leuk geprobeerd jongens, maar dit jaar moet je wel wat meer je best doen om Rachel Berry te raken.

Ze hadden in elk geval naar haar uitzending geluisterd.

Het leven hier gaat veranderen, dacht ze toen ze op haar kluisje afliep, de blikken van andere leerlingen negerend terwijl het rode ijswater haar nek in droop. Het zouden twee belangrijke weken worden op McKinley High, en zij zou in het middelpunt staan.

Nadat ze een schone trui aan had getrokken.

2

Kantine van McKinley High, maandag lunchpauze

De geur van ongare aardappelen en waterige macaroni met kaas walmde lauwtjes uit de keuken van de McKinley High-kantine terwijl de leerlingen massaal naar binnen stormden. De populaire leerlingen: de Cheerios, de *jocks*, de mooie en/of rijke leerlingen met dure designerspijkerbroeken verzamelden zich rond het duurste vastgoed in de kantine: de tafels bij de lange hoge ramen die uitkeken op het schoolplein. De footballspelers bliezen met hun typische charme melk door rietjes en gooiden fruit uit blik naar elkaar in de voortdurende strijd om hun plek op de apenrots te behouden. Zij geloofden dat ze bovenaan stonden in de voedselketen en iedereen geloofde hen.

'Dit kan ik niet eten,' klaagde een van de cheerleaders en zwaaide demonstratief met haar hand. Een sponzig stuk macaroni bungelde aan haar vork. 'Het is alsof ik op een verplicht dieet zit.'

'Coach Sylvester zei dat je salto's er een beetje lomp uitzagen,' fluisterde het meisje naast haar. 'Misschien is dat dus niet zo'n slecht idee.'

De tafels in het midden van de kantine werden bevolkt door verschillende oninteressante types: de *wannabes*, die heel graag populair wilden zijn en dicht bij de populaire leerlingen zaten, jaloers die kant uit kijkend. De tafels langs de muur waren gereserveerd voor de groepen onderaan de sociale rangorde: de *Goths*, de *band geeks*, de leerlingen die in hun neus peuterden in de les, en, in de verste hoek, vlakbij de afruimbalie, de *Glee-kids*. Tina Cohen-Chang, een mooi Amerikaans-Aziatisch meisje met een brede blauwe highlight in haar glanzende donkere haar, lepelde wat bosbessenyoghurt naar binnen en tikte met haar voet op de grond terwijl ze de nieuwste Lady Gaga neuriede. 'Heb je dat vreselijke meisje in *American Idol* gezien gisteren? Die met de jazzversie van "Imagine"?'

Kurt Hummel wuifde een lok haar uit zijn gezicht. 'John Lennon draaide zich echt om in zijn graf.' Zijn ogen scanden de kantine. Hij vond het helemaal niks om zo ver achterin te zitten, ver van alle mooie mensen, maar het leek alsof McKinley High nog niet klaar voor hem was. Hij was verreweg de best geklede jongen van de school, maar toch werd hij in de vuilniscontainer gegooid door jongens die nog nooit van Alexander McQueen gehoord hadden. Als hij ver genoeg naar links leunde, kon hij nog net het hoofd van Finn Hudsons zien die een stuk vette kantinepizza naarbinnen werkte. O, mocht hij nu alsjeblieft een stuk vette salami op die pizza zijn.

'Nee, dat kan niet,' piepte Mercedes Jones terwijl ze Tina in de ribben porde en ergens naar wees. Mercedes was een van een handjevol *African American* leerlingen op McKinley High, voelde zich soms een buitenstaander, en was defensief. 'Die Cheerios vragen geld om te mogen stemmen voor homecoming king en queen!'

Tina en Kurt draaiden in de richting van Mercedes' beschuldigende uitgestoken vinger. Midden in de kantine had het hoofd van de Cheerios, Quinn Fabray, samen met haar iets minder mooie hulpjes Santana en Brittany een tafel gegijzeld en omgetoverd tot stemhokje. Op een gigantische Barbieroze bordkartonnen poster stond STEM VOOR DE HOMCOMING KING EN QUEEN: $1 PER STEM! GESPONSORD DOOR DE CHEERIOS. De meisjes, in hun strakke cheerleader-pakjes en bijbehorende glossy lippen, hadden een goedlopend handeltje. Gewillige leerlingen overhandigden het wisselgeld van hun lunchgeld in ruil voor het voorrecht een stembiljet voor de homecoming-verkiezingen in te mogen vullen.

'Geld vragen om te stemmen?' zei Mercedes honend. 'Zo onderdrukten ze vroeger de mensen in het zuiden van de Verenigde Staten. Ze kwamen er toen niet mee weg, dus waarom zou het nu wel mogen?'

'G-g-ga je erheen?' vroeg Tina, zenuwachtig op haar nagel bijtend. Ze had een hekel aan confrontaties.

Mercedes zuchtte. Ze leunde achterover in haar stoel en kauwde op een stuk groene appel. 'Dat heeft toch geen zin.'

'Is dat het Rachelmeisje van de mededelingen?' Kurt tikte op de arm van Mercedes en wees in de richting van het stemhokje.

Rachel Berry, inmiddels slushloos en gekleed in een donkerblauwe v-hals die maar een klein beetje gekreukt van de bovenste plank in haar kluisje was gekomen, liep naar de tafel van de Cheerios.

De aanblik van mensen die een dollar betaalden aan Quinn Fabray in ruil voor hun grondrecht om te mogen stemmen maakte Rachel een beetje misselijk – of misschien kwam dat door de stukken gestolde macaroni met kaas die iemand tegen de glas-in-loodramen bij het schoolplein had gegooid. Een paar stukjes waren naar beneden gegleden, een slijmerig spoor op het raam achterlatend.

'Twee dingen,' zei Rachel, terwijl ze voordrong en pal voor een eerstejaars meisje in een felroze trui ging staan. 'Allereerst, je hebt "homecoming" verkeerd geschreven op je poster.'

Quinn keek op van de stapel geld in haar handen. Ze voelde onmiddellijk hoe ze haar rug rechtte. Wie dacht Rachel Berry, een van de allergrootste losers ooit in de geschiedenis van deze school, dat ze was om haar op deze toon aan te spreken? Quinn kende haar naam alleen maar omdat ze het proefwerk wereldgeschiedenis van haar had afgekeken in meneer Prospero's les. Ze opende haar mond om een snerende opmerking te plaatsen, maar Brittany, die echt blonder was dan goed voor haar was, gaf al antwoord.

'En wat is het tweede?' vroeg Brittany, haar hoofd schuin houdend alsof ze water in haar oor had.

'Het interesseert ons niet wat dat is,' onderbrak Quinn haar. Ze stond op, zodat Rachel niet op haar neer kon kijken. 'Wil je alsjeblieft, als dat niet te veel gevraagd is, opzij gaan zodat de mensen die al voor je stonden gewoon kunnen stemmen?'

'Het tweede, meer kwalijke ding,' zei Rachel met iets luidere stem, 'is dat je géld vraagt om te stemmen. Dat is niet eerlijk!' Hoewel ze het heerlijk vond om in het middelpunt van de belangstelling te staan, was dat niet de reden waarom ze de Cheerios uitdaagde. Ze kon gewoon niet stijlzwijgend toekijken hoe zij ervoor zorgden dat iedereen precies deed wat zij wilden.

Quinn voelde de stoom zowat uit haar oren komen. 'Als jij niet zoveel geld zou uitgeven aan die duffe kleuterkleren kon je vast genoeg stemmen kopen om zelf te winnen. En dan zou je je smoel misschien houden.'

'Maar dan zou je wel veel stemmen moeten kopen,' opperde Santana Lopez nu ook, terwijl ze naar Rachels kleren keek. 'Heel erg veel.'

Brittany en de leerlingen die rond de tafel stonden begonnen zenuwachtig te giechelen, en Rachel deed een stap naar achteren. Ze opende haar mond om iets terug te zeggen, maar er kwam niets. Waarom kon ze in dit soort situaties altijd pas een uur later op het perfecte antwoord komen?

Maar deze keer had ze geen reactie nodig. 'Sorry, mag ik even.' De held die zich al ellebogenduwend door de menigte worstelde om haar te redden was... Kurt Hummel? Kurt, in een asymmetrische grijze coltrui met een rij knopen langs een van de mouwen, trok zijn zwarte leren Gucci-portemonnee uit zijn achterzak. Hij was Quinn Fabray en al haar mooie plastic vriendinnetjes die bazig deden tegen iedereen zat, alleen omdat ze onzichtbare poriën en stevige borstjes hadden en hun haar altijd goed bleef zitten, ook als ze de radslag deden tijdens de pauze van footballwedstrijden. Hij haalde er een nieuw briefje van vijftig dollar uit en gooide het achteloos op tafel. 'Ik wil graag vijftig stemmen voor queen alsjeblieft.'

Quinn trok een gezicht. 'Welke queen mag dat zijn?' Ze keek hulpeloos om zich heen, alsof ze wilde zeggen: hoe moet je hier nou in godsnaam op reageren? 'Jijzelf?'

Zowat de hele kantine barste in lachen uit. Rachel had niet

gezien hoeveel publiek keek om te zien hoe het af zou lopen. Ze gooide haar haar, dat slapper hing dankzij de slushie, naar achteren. Zonder na te denken griste ze het vijftigdollarbiljet weer van de tafel. Ze wist niet waar hij mee bezig was, maar het was geen vijftig dollar waard. Kurt liep alweer weg met het zelfvertrouwen van iemand die net zijn punt gescoord heeft, zijn schouders trots naar achteren, maar ze was niet van plan om nog meer geld toe te voegen aan de gevulde kas van de Cheerios.

Rachel volgde hem de kantine uit de gang in. Ze negeerde de starende blikken die haar toegeworpen werden over de half opgegeten lunches van leerlingen in de kantine heen. Ze vond het niet erg dat mensen naar haar staarden. En ook niet dat ze haar uitlachten. Het was beter dan genegeerd worden. Toch was het fijn als iemand achter je stond, zelfs als het ergens niet helemaal klopte.

'Dat had je niet hoeven doen!' Rachel riep hem na, haar woorden weerkaatsten in de lege gang. Ze haastte zich om hem in te halen en gaf hem het briefje van vijftig.

Kurt keek een tijd naar het geld voordat hij het met zijn duim en wijsvinger aanpakte. 'Ik denk dat dit betekent dat geen van ons beiden queen wordt.'

Rachel glimlachte. Ze had echt respect voor de manier waarop Kurt zoveel zelfvertrouwen had terwijl hij zo'n buitenbeentje was. Rachel zag hem voortdurend uit de vuilniscontainer bij het parkeerterrein klimmen als de footballjongens hem er weer eens in hadden gegooid. Dan klopte hij het vuil van zich af, trok zijn kleren recht en ging weer door met zijn dag. Quinn Fabray, hoofd van de almachtige Cheerios, had hem midden in de volle kantine zowat een homo genoemd en hij leek niet eens geraakt. 'Weet je,' zei ze, terwijl ze haar rugzak aan haar schouder hing, 'mijn twee vaders hebben hetzelfde moeten doorstaan toen zij op de middelbare school zaten.'

Kurts blauwe ogen knepen zich een heel klein beetje samen. 'Jij hebt twee vaders?'

'Ze zijn geweldig.' Rachel knikte. 'Soms vergeet ik dat niet iedereen twee papa's heeft.'

Kurt keek haar nadenkend aan. Ze dacht dat hij misschien iets zou zeggen over homoseksualiteit, maar in plaats daarvan zei hij: 'Ik hoorde je vanochtend zingen bij de mededelingen.' Hij tuitte zijn lippen en keek alsof hij nadacht over wat hij wilde zeggen. 'Je was eigenlijk oké.'

Oké? Om de een of andere reden klonk dit als een reuzecompliment, komend van Kurt. En omdat ze nou niet bepaald met complimenten overladen was voor haar optreden die ochtend – alleen de slushie en hier en daar wat wegdraaiende ogen – voelde ze haar hart opengaan. 'Dank je,' zei ze, met ongebruikelijke bescheidenheid.

'Misschien ben je wel geïnteresseerd in wat de Glee Club op dit moment allemaal doet. Kom eens langs als school uit is. We repeteren in het muzieklokaal.' Met 'we' bedoelde hij dat stotterende Amerikaans-Aziatische meisje en Mercedes Jones. Maar als Glee zowaar weer een club was, moesten er meer leden zijn. 'O, ik weet het niet. Ik heb vorig jaar meneer Ryerson gevraagd hoe het zat met Glee. Hij maakte duidelijk dat ik nooit een solo zou krijgen – hij had het over het belang van mannelijke solisten. Nou ja, ik kreeg het idee dat hij talent niet herkent als het voor zijn neus staat,' zei Rachel.

'Dat is waar. Meneer Ryerson is niet de meest inspirerende Glee Club-begeleider,' reageerde Kurt. 'Maar maak je geen zorgen. Hij is er nooit bij. En de komende weken is hij er écht niet bij. Onze pastelkleurendragende onverschrokken leider is namelijk naar het jaarlijkse poppenverzamelaarscongres van Ohio. Hoe dan ook, we oefenen vanmiddag, en, om eerlijk te zijn, we kunnen best wat meer talent gebruiken.'

'Ik moet even in mijn agenda kijken,' zei Rachel blij. 'Maar, ja, misschien kom ik.'

De blauwe ogen van Kurt staarden haar aan tot ze haar ogen neersloeg. 'Misschien zie ik je dan straks.'

'Misschien,' zei Rachel toen hij wegliep. Ze probeerde de glimlach van haar gezicht te halen. Het zou interessant zijn om dat clubje eens te checken en te kijken wat ze konden.

Terug in de kantine was het oproer bij het stemhokje gekalmeerd. De stemmers stonden weer netjes in de rij. Quinn porde Brittany in haar zij. 'Goed werk, die poster. Het was misschien wat effectiever geweest als je alle woorden goed gespeld had.'

Brittany knipperde met haar ogen en haalde een rauwe wortel uit het kleine Tupperware doosje op haar schoot. 'Je weet dat ik een hekel heb aan grammatica.'

'Spelling is geen grammatica,' antwoordde Quinn, maar zoiets simpels kwam toch nooit aan bij Brittany. Quinn had kunnen weten dan je zo'n belangrijke taak niet aan haar over moest laten. 'Ik doe het wel,' snauwde Quinn, en ze pakte een zwarte stift uit haar tas. Ze wachtte tot er wat minder stemmers waren en sprong op de tafel. De hele kantine zou proberen onder haar korte cheerleader-rokje te kijken. Nou, laat ze maar naar haar slipje kijken. Ze was toch de voorzitter van de Onthoudingsclub, ze konden zoveel kijken als ze wilden. Ze konden alleen niks krijgen. Quinn trok de dop van de stift en propte snel een E in HOMCOMING.

'Het is een beetje scheef,' zei Finn Hudson terwijl Quinn een stap achteruit nam om het resultaat te bekijken. 'Maar het ziet er goed uit.'

Quinn keek omlaag naar Finn. 'Bedankt.' Hij was best lekker, dat was zeker. Net zo smeuïg als een donut. Toen Quinn op haar achtste had bedacht hoe haar bruiloft eruit moest zien, compleet met lichtroze trouwjurk van Vera Wang en met tienduizend witte tulpen die de kerkbanken op het middenpad sierden, had de bruidegom er precies zo uitgezien als Finn. Hij was zo lang dat Quinn zelfs vanaf haar plek op de tafel niet het gevoel had dat ze boven hem uit torende, en zijn bruine haar zat altijd jongensachtig rommelig.

Quinn stak haar hand uit. 'Help me even omlaag.' Santana staarde haar aan. Quinn wist dat bijna ieder meisje op McKinley High in meer of mindere mate verliefd was op Finn. Dat was dan heel jammer voor ze, want Quinn had net besloten dat ze dit jaar het vriendinnetje van Finn Hudson zou worden. Of, om het precies te zeggen, dat ze Finn zou toestaan om het vriendje van Quinn Fabray te worden.

Finn grinnikte. In plaats van haar hand te pakken om haar naar beneden te helpen op de stoel die ze had gebruikt om op de tafel te klimmen, stak Finn gewoon zijn armen uit en pakte haar vast bij haar middel. Hij zwierde haar van de tafel en hield haar even vast voordat hij haar voeten zachtjes liet landen op het oranje linoleum.

'Niet echt wat ik bedoelde, maar bedankt.' Quinn giechelde, sloeg haar ogen neer en keek vervolgens door haar lange wimpers omhoog naar Finn. Quinn en Finn. Finn en Quinn. Het was misschien een maf rijmpje, maar het klopte wel. Finn Hudson was de knapste jongen van de hele school en hij was ook de ster-*quarterback*. Als het woord 'ster' nog van toepassing was op een team dat alle wedstrijden in het voorseizoen verloren had. Maar dat maakte nauwelijks uit. En Quinn had zo haar best gedaan om indruk te maken op Coach Sylvester en nu was ze hoofd Cheerio.

Dikke kans dat ze homecoming king en queen werden als zij en Finn officieel een stel waren. Quinn was al van plan om haar haar zo te doen dat het niet in de war zou raken als rector Figgins of wie dan ook de winnaar en winnares aankondigde en de plastic tiara op haar hoofd plaatste.

'Je ziet eruit alsof je heel erg druk bent geweest. Ik bedoel, met stemmen verzamelen en zo.' Finn had de gewoonte om naar zijn voeten te staren als hij praatte en pas aan het eind van de zin even op te kijken. Het was schattig, maar Quinn zou het leuk gevonden hebben als hij iets meer zelfvertrouwen had.

'Het werk van een Cheerio is nooit gedaan,' sprak Quinn de woorden van Coach Sylvester na. Ze keek over de schouder van Finn en zag Puck Puckerman, Finns teamgenoot en een van zijn beste vrienden. Puck deed altijd dingen die je maar beter niet kunt doen. Deze keer had hij van twee potloden en een elastiekje een katapult gefabriceerd waarmee hij probeerde een druif naar een slachtoffer aan het eind van de tafel te schieten. Hij zag er stom uit met dat gekke haar. Een *mohawk* lag als een soort brede grasmat over zijn verder kortgeschoren kop. Echt zonde van zijn normaal gesproken mooie, glanzend zwarte haar. Maar toch had hij iets. Als hij een filmster was geweest en haar moeder moest hem beschrijven, dan had ze gezegd dat hij sexy was. Puck dampte, zo hot was hij. Hij had iets gevaarlijks, iets ruws, waar Quinn van trilde als ze dacht aan zichzelf, alleen met Puck, in een kamer.

'Wat doe je na school?' hoorde ze Finn vragen, en ze dwong zichzelf weg te kijken van Puck voordat Finn haar aan het eind van zijn zin weer met zijn puppyogen aan zou kijken.

'Ik repeteer, zoals altijd.' Ze kon zichzelf niet tegenhouden, haar ogen werden als door magneten weer naar Puck getrokken. Deze keer had hij het gevoeld. Voordat Quinn weer weg kon kijken, verscheen er een bijdehante lach op zijn gezicht. Fijn, nu ging hij haar er later ongetwijfeld mee plagen en dan moest zij weer volhouden dat hij het zich had ingebeeld. Quinn voelde dat ze bloosde, maar herstelde snel.

Ze draaide zich naar Finn en legde haar hand op zijn blote arm. 'Wat doe je morgen? Wil je met me mee naar de Onthoudingsclub na de Cheerios-repetitie? Misschien kunnen we daarna iets gaan drinken?' Quinn was het zat om te wachten tot Finn de eerste stap zou zetten, dus ze had besloten hem gewoon zelf uit te vragen. Hoewel ze het jaar ervoor vrienden waren geweest, waren Quinn en Finn nog geen stel. Quinn was er al een tijdje klaar voor om niet als single door het leven te gaan. Elke queen heeft een king nodig, tenslotte.

'Ja, dat wil ik wel.' Finn vond Quinns warme hand op zijn arm wel fijn. Fijn genoeg om het vanmiddag vol te houden bij de Onthoudingsclub, Quinns op een na favoriete naschoolse activiteit. Het leek hem helemaal niks om ernaartoe te gaan, maar het was een lage prijs voor een middagje met Quinn. Ze was het lekkerste ding van de hele school, ook al was ze wel eens hard. Die nietsontziende winnaarsmentaliteit was vast het gevolg van al die cheerleading-wedstrijden. Maar die lip-pen... Ze waren hartvormig en leken de zachtste die Finn ooit had gezien. Hij zou gek zijn om haar niet te willen. En je kon veel over Finn Hudson zeggen, maar niet dat hij gek was.

Muzieklokaal, maandag na schooltijd

Op maandag na de laatste bel liepen de gangen van McKinley High leeg terwijl leerlingen zich haastten naar hun activiteitenclubjes, sporttrainingen, of, in het geval van de talloze slecht presterende leerlingen die McKinley High telde, naar het nablijflokaal. Het muzieklokaal tegenover de aula was leeg op de paar leden van de Glee Club na: Mercedes, Tina, Kurt en Artie Abrams – een van de weinige leerlingen van McKinley in een rolstoel. Het grote lokaal had podia op verschillende hoogtes en was bekleed met dikke dempende platen voor de akoestiek. Overdag werd het muzieklokaal bewoond door de band geeks die om mysterieuze redenen een paar treetjes hoger op de sociale ladder stonden dan de Gleekids. Langs de muur waren kluisjes waar leerlingen hun muziekinstrumenten in konden bewaren. Op de planken lagen stapels bladmuziek. Op het bord stond de speellijst voor de fanfare, die elke week de footballwedstrijd opwarmde met muziek: 'We will rock you', 'Another one bites the dust' en het thema van *Star Wars*. Daarnaast stond het repetitieschema van de jazzband: DEZE WEEK, MAANDAG, DONDERDAG & VRIJDAG, VANAF 06.30 UUR! En helemaal bovenaan het bord stond in koeienletters AANSTAANDE VRIJDAG REGENT HET MUZIEKNOTEN! Een glimmende zwarte vleugel stond naast een groot drumstel; de stokjes op het zwarte krukje ervoor, wachtend op de drummer.

Tegen al dit bewijs van drukbezette bands in een veelgebruikt lokaal verbleekte het magere Glee-programma des te meer. De club was afgeslankt van een paar dozijn leerlingen tot de vier overgebleven leden die nu in het lokaal stonden. Na de glorietijd in de jaren 90, toen McKinley High regel-

23

matig wedstrijden won van andere scholen en zelfs van hele districten, was Glee in een diepe recessie beland. Door de vele bezuinigingen en dankzij de onverschilligheid van de leerlingen was de ooit zo belangrijke functie van 'Glee Club-begeleider' inmiddels uitgehold tot een lachwekkend bijbaantje. De baan was doorgeschoven van de ene ongeïnteresseerde docent naar de andere tot de club bijna verdwenen was onder de apathische begeleiding van Sandy Ryerson, een grote engerd.

Bijna verdwenen, niet helemaal. Een handjevol leerlingen wilde nog steeds na schooltijd zingen, ook al riskeerde je daarmee dat je nog dieper zakte op de sociale ladder.

Helaas had de groep geen chemie. Mercedes had de beste stem van de vier. Terwijl zij 'Tonight' uit *West Side Story* galmde en de rest als achtergrondkoortje meezong of neuriede, leek het alsof er iets ontbrak. Ze waren niet slécht of zo. Helemaal niet. Tina had een goede altstem ondanks haar gebrek aan zelfvertrouwen. Kurt kon zowaar een hoge F halen. En Artie had een diepe, volle stem. Het was alleen niet *genoeg*.

'We lijken een stelletje amateurs,' zei Kurt nadat de laatste klanken van Mercedes waren weggeëbd. Hij verwoordde wat iedereen dacht. Kurt stak zijn handen in de kontzak van zijn grijze skinny jeans. 'Maak je geen zorgen, het ligt niet aan jou, Mercedes,' voegde hij snel toe toen hij zag hoe haar gezicht betrok. 'Jij bent geweldig.'

'Ik weet het.' Mercedes slikte en staarde naar een groep jongens die buiten in sportkleren stonden te frisbeeën. 'Het werkt gewoon niet.'

'We hebben bijna geen tijd meer,' zei Tina terwijl de groep dat echt wel wist. De koeienletters op het bord waren niet te missen. 'Vrijdag is de voorstelling.'

'We gaan zo ontzettend voor paal staan. Alweer.' Artie draaide in een grote cirkel met zijn rolstoel. De kraag van zijn witte buttondown overhemd had blauwe vlekken. 'Ik ben vandaag al twee keer geslusht.'

'Dat is gewoon gemeen.' Kurt schudde begripvol zijn hoofd.

De jocks op deze school waren beesten. Sterke, gespierde, bezwete beesten.

'Het moet ons lukken,' kondigde Mercedes aan en ze klapte in haar handen als aansporing. Ze zong al sinds haar achtste in het kerkkoor en kon zelfs de grootste zuurpruimen laten huilen met haar interpretatie van 'Amazing Grace'. Ze was Dé Grote Ster van de Glee Club en was niet van plan om zich voor de hele school te laten vernederen. De andere clubleden waren stuk voor stuk ook goed. Als ze alleen zongen. Het ging pas mis als ze samen zongen. Ze hadden gewoon iets nodig waardoor het wél klopte. Iets extra's. En anders moesten ze maar blijven zingen tot ze schor waren. 'We beginnen vooraan. Alweer.'

'Alweer?' kreunde Tina en zakte onderuit in haar stoel. Ze was echt gek op zingen maar wist niet zeker of ze er ook zo gek op was als de hele school toekeek. Ze had alleen maar ingestemd met de voorstelling omdat de rest het zo graag wilde. Maar jongen, wat had ze nu een spijt. 'Oefenen helpt niet. We moeten iets anders doen.'

'Ja, zoals stoppen met zeuren en het gewoon goed doen vanaf nu. Ik ga zeker niet voor paal staan op het podium.' Mercedes keek ze stuk voor stuk aan met vlammende ogen. 'Doen jullie mee?'

Ze begonnen vooraan. Halverwege het lied, dat deze keer ietsje beter klonk, vloog de deur van het lokaal open en botste met veel kabaal op een stapel muziekstandaarden. In de deuropening stond Rachel Berry, die er met haar ribfluwelen rokje, lamswollen v-hals en brave kniekousen als Koningin Retro uitzag. Rachel grijnsde van oor tot oor. De leden van Glee, op Kurt na, waren zo verrast om haar te zien dat ze ophielden met zingen. Hun stemmen stierven langzaam weg.

Het bleef niet lang stil. 'Nou, dat was een nogal afschrikwekkende uitvoering van een Broadway-klassieker. Artie, je zong vals, Kurt, je stem was te scherp. En het meisje van wie ik de naam nog niet ken,' ze wees naar Tina, 'misschien is het een idee als je je mond opendoet als je zingt. En Mercedes...'

Ze zweeg toen ze de blik op het gezicht van Mercedes zag.

'Dit kan niet waar zijn.' Mercedes keek Rachel aan en stak haar neus in de lucht. Ze stapte naar voren alsof ze Rachel wilde aanvallen. 'Wie heeft jou benoemd tot HenkJan Smits?'

'Is dat strass op haar kousen?' fluisterde Tina tegen Artie terwijl ze naar Rachels witte kniekousen staarde. Inderdaad, ze waren versierd met gouden nepdiamantjes. 'En zíj geeft ons advies?' Maar Tina lette wel goed op dat ze haar mond ook echt opendeed terwijl ze het tegen Artie zei. Ze wist dat ze niet zo goed articuleerde.

Rachel ging rustig door waar ze gebleven was. Ze glimlachte stralend maar vastberaden en stapte het lokaal in. Haar ballerina's schreden met zachte tikken over het linoleum. 'Na veel beraad heb ik besloten mee te doen aan de Glee Club, ook al heb ik ongeveer sinds ik kon praten stemtraining van professionals en ben ik overgekwalificeerd voor alles wat McKinley High ook maar te bieden heeft.' Ze pauzeerde terwijl het lokaal stil bleef. 'En na daarnet het gejank te hebben gehoord dat jullie vrijdag voor de hele school ten gehore willen brengen, weet ik zeker dat ik precies ben wat jullie nodig hebben om een hit te scoren.'

Tina en Artie keken elkaar verward aan. Kurt haalde zijn hand door zijn haar en ruïneerde de perfect gemodelleerde coupe waar hij die ochtend twintig minuten over had gedaan door laag voor laag en lok voor lok met zijn peperdure haarlak te spuiten. Was hij echt zo verblind geweest door haar talent dat hij vergeten was dat Rachel Berry een irritante betweterige slijmbal van de eerste orde was, die intuïtief wist hoe ze iedereen die ze maar tegenkwam moest afschrikken? Had hij een gigantische fout gemaakt door haar uit te nodigen voor de repetitie?

Hij keek naar Mercedes, die Rachel van top tot teen inspecteerde met een misprijzende blik in haar ogen. Bij nader inzien: ze keek ronduit pissig. 'Ik weet niet wie jij denkt dat je bent, Rita Ruit, maar jij bent onze coach niet, en niemand in dit lokaal heeft je uitgenodigd, dus misschien moet je je kop houden en weer teruggaan naar de Disney-film, waar je vandaan komt.'

'Eigenlijk...' Kurt haalde diep adem en keek de groep aan. 'Heb ik haar uitgenodigd.'

'Mercedes knipperde met haar ogen. 'Wát?' Ze keek hem aan alsof hij net had verteld dat hij haar konijn had gewurgd.

'Ja. Het is tijd dat we het toegeven. *We suck*. Glee is stervende, en als we niets doen om onszelf te redden, zijn we binnenkort morsdood.' Hij speelde met het gouden horloge dat hij had geërfd van zijn grootvader aan zijn moeders kant. 'We hebben Rachel vanochtend horen zingen op de intercom. En, oké, we zijn het vast allemaal eens dat haar zelfverheerlijking er heel erg dik bovenop lag, maar ze was wel ongelofelijk goed.'

'Dank je,' zei Rachel parmantig. Ze had inmiddels geleerd om het negatieve gedeelte van commentaar over te slaan en alleen op het goede nieuws te letten. Met een showbizzcarrière in het vooruitzicht was dat de beste overlevingsstrategie.

Kurt keek haar aan en knikte kort. Hij vond het shocking dat iemand met zoveel belangstelling voor het podium zo'n vreselijke stijl had. Die kniekousen waren werkelijk afzichtelijk. 'Ook al zullen we allemaal even aan haar moeten wennen, ik denk wel dat zij de oplossing is voor ons probleem.'

'Dit is ongelofelijk!' gilde Mercedes, en ze wreef over haar slapen. Ze keek naar Kurt. Ineens leek hij een vreemdeling, zoals hij daar stond in zijn houtskoolgrijze kasjmier coltrui en grijze skinny jeans. Dacht Kurt echt dat zij niet goed genoeg was? Hij was toch een vriend van haar? Ze had het gevoel alsof hij haar trots geslusht had.

'Mercedes, begrijp ons niet verkeerd, je b-b-bent geweldig.' Tina was verbaasd dat ze iets durfde te zeggen. Zij vond ook dat Rachel die ochtend heel goed had geklonken. Stukken beter dan het monotone gezever van mevrouw Applethorpe. Tina besefte dat het goed voor haar zelfvertrouwen zou zijn om samen te werken met iemand die zo dapper en onverschrokken was. Misschien zou ze eindelijk eens van haar verlegenheid afkomen. 'Maar we hebben meer nodig dan alleen een goede zangeres. We hebben iemand nodig die ons allemaal beter kan maken.'

Mercedes kneep haar ogen samen. Die ochtend, terwijl ze Rachel had horen zingen over de luidsprekers tijdens het eerste uur, had ze gedacht: *damn*, die witte chick kan zingen. Mercedes probeerde zich voor te stellen hoe ze er zonder Rachel op het podium ten overstaan van de hele school uit zouden zien tijdens de voorstelling. Het zou een ramp worden, tenzij er een wonder gebeurde. Misschien, heel misschien, stond hier, gekleed in een irritant kort rokje en glitterende sokken, de oplossing. Ze haalde diep adem. 'Goed. Ze mag blijven.'

Rachel knikte. Ze wilde Mercedes eraan herinneren dat ze haar toestemming eigenlijk niet nodig had, maar ze hield zich in, voor het eerst.

Mercedes keek haar streng aan. 'Voorlopig.'

'Je krijgt er echt geen spijt van.' Rachel ging aan de piano zitten en liet haar vingers over de toetsen glijden. 'Er is werk aan de winkel. Wat ik hoorde was niet best. We moeten grote sprongen maken, geen babypasjes. Het wordt niet altijd even makkelijk, en het wordt niet altijd even leuk. Maar als je echt beter wil worden moet je doen wat ik voorstel. En we moeten tot de voorstelling elke dag na school oefenen.'

Mercedes trok een wenkbrauw omhoog. Het beloofde een spannend avontuur te worden.

4

Spaanse les van meneer Schuester, dinsdagochtend

Tina draaide zich om in haar stoel. 'Het enige waar ik gister-avond aan dacht was hoe goed wij klonken toen zij met ons zong,' bekende ze aan Artie voordat de Spaanse les van me-neer Schuester dinsdagochtend begon. Het was het eerste uur van de dag en een van Tina's lievelingslessen. Als ze met Artie had gekletst was het altijd veel makkelijker om nog een dag dat ze gepest werd, te overleven. Artie was lief. En ze vond het leuk om te kijken naar de grote poster aan de muur bij haar tafeltje: Don Quichot op zijn magere paard, van Picasso.

'Ik wilde alleen dat ze iets minder...' Artie maakte de zin niet af. Hij zat achter in het lokaal op de enige plek waar een rolstoel bij kon komen. Hij wilde diplomatiek zijn over Rachel. Hij wist best wel zeker dat ze niet 100 procent vrese-lijk was, maar ze kwam wel zo over. Zijn moeder zei altijd dat hij alleen maar aardige dingen over andere mensen mocht zeggen, maar dat was niet altijd even handig.

'Bazig was?' vulde Tina aan terwijl ze ondersteboven een doodskop op de kaft van Arties schrift tekende. 'Irritant? Kwetsend?' Rachel had tegen haar gezegd dat ze articuleerde als een peuter, wat Tina niet eerlijk vond. Ze had een spraak-gebrek, oké?

Artie duwde het zwarte montuur van zijn bril recht en tuur-de naar de woordenlijst op zijn tafelblad die meneer Schues-ter zo meteen ging overhoren. 'Ik dacht aan aanwezig, maar jouw woorden werken ook wel.'

Hun gesprek werd onderbroken door het ruisende geluid uit de luidsprekers van een microfoon die werd aangezet. 'Eens kijken wat ze vandaag doet,' fluisterde Tina en ze draai-de naar haar tafel om het bord te kunnen zien waar iemand gisteren het werkwoord *ser* verkeerd vervoegd had. Meneer Schuester had het niet gezien. Naast het opschrift hing een gigantische kaart van Spanje tot halverwege voor het bord.

'Een bijzonder goede dinsdagmorgen, McKinley High!' Rachels vrolijke stem galmde door elk lokaal. 'Hier is Rachel Berry met de mededelingen van vandaag. We hebben sportnieuws. Het voetbalelftal heeft een dappere poging gedaan om te winnen van Troy High maar heeft helaas in de laatste seconden van de wedstrijd verloren. Jullie pakken ze de volgende keer wel terug, jongens!'

'Is het verkeerd als je iemand wil doodschieten omdat ze te vrolijk is?' vroeg Tina over haar schouder terwijl Rachel met bijna onmenselijk enthousiasme de resultaten van de oefententamens Staatsinrichting van de eindexamenklas voorlas.

'Ik denk het wel.' Artie had tegen Tina willen zeggen dat hij haar shirt met KLEIN & CHAGRIJNIG gaaf vond toen hij het die ochtend buiten het lokaal voor het eerst had gezien, maar hij was bang geweest dat ze zou denken dat hij naar haar tieten keek. Was het te laat om het nu nog te zeggen?

'En nu wil ik een zorgwekkend geval van onrecht onder jullie aandacht brengen dat hier, onder ons eigen dak, plaatsvindt,' ging Rachel verder. Artie en Tina keken elkaar bezorgd aan. Zat er een steekje los bij Rachel? 'Leerlingen die gisteren uit burgerplicht wilden stemmen op een homecoming king en queen waren ongetwijfeld geschokt en verontwaardigd toen ze zagen dat sommige cheerleaders bij de stemhokjes géld vroegen om te stemmen.'

Een paar leerlingen grinnikten. 'Zoals iedereen die de lessen Amerikaanse Geschiedenis van meneer Hillburger heeft gevolgd kan weten: het Vierentwintigste Amendement verbiedt iedereen om burgers geld te vragen om te stemmen. Wat goed genoeg is voor de grondwet van de Verenigde Staten van Amerika, is goed genoeg voor McKinley High, vind ik. Als dit in Iran zou gebeuren, was het elke tien minuten te zien op CNN, maar omdat het hier op onze eigen school door mooie blonde meisjes wordt gevraagd, gaan we in de rij staan om ons geld aan ze te geven.'

'Is ze krankzinnig?' fluisterde Artie. 'Ze klinkt als een CNN-nieuwsbericht.'

'Ik denk dat het helemaal niet o-o-overdreven is om aan te nemen dat ze is ontspoord,' fluisterde Tina terug. 'Ik bedoel: psychisch, klinisch ontspoord.'

Rachels opgewekte stem ging ongestoord verder. 'Kortom: als reactie op deze grove schending van onze rechten roep ik jullie allemaal op om de verkiezingen te boycotten. Ik weet zeker...'

'Ik weet niet wie jij denkt dat je bent.' Een lage, ruwe stem onderbrak Rachels pleidooi. De hele school herkende onmiddellijk het stemgeluid van Sue Sylvester, de legendarische coach van de Cheerios. Ze was sterk, had een sterke mening en stond erom bekend dat ze Cheerios uit het team had geschopt nadat ze in het openbaar gehuild hadden. 'Maar jij hebt hier helemaal geen recht van spreken. Het is bedrieglijk en verraderlijk om de normale gang van zaken aan te vechten.'

Artie leunde naar voren. 'Het wordt steeds leuker,' fluisterde hij naar Tina. De hele klas leunde naar voren in hun stoelen om de woordenwisseling op de luidsprekers goed te kunnen volgen. De meeste mensen wisten dat je maar beter geen ruzie kunt krijgen met Coach Sylvester, maar Rachel leek zich daar niet veel van aan te trekken.

'Ik wou dat we er beeld bij hadden,' antwoordde Tina. Stiekem was ze bang dat leerlingen niet alleen Rachels oproep om de homecoming-verkiezingen te boycotten serieus zouden nemen, maar ook het feest zouden boycotten. Tina had ergens de hoop dat Artie haar voor het feest zou vragen, ook al was dat dom van haar. Ze wist dat Artie veel te zenuwachtig werd van zulke situaties en er waarschijnlijk niet aan moest denken om naar een schoolfeest te gaan. Maar toch...

'Het is onethisch om geld te vragen voor verkiezingen, en...' Rachels stem klonk een tikje nerveus nu ze Coach Sylvester moest antwoorden.

'Ik zal je vertellen wat onethisch is. Het is onethisch dat jíj mijn Cheerios het recht ontneemt om geld te vragen zodat ze naar de zonnebank kunnen. Het zijn veelbelovende atletes op weg naar de top, terwijl jij, jongedame, moet blijven door-ploeteren op jouw eenzame weg naar onbereikbare ambities.'

Iedereen in het lokaal barstte in lachen uit. Het was een mooie dag. De zon scheen en de geur van versgemaaid gras kwam door het raam naar binnen. Misschien was dit wel pre-cies wat Glee nodig had: iemand die ervoor wilde vechten. 'Misschien moeten we ons even gedeisd houden. In elk geval tot na de voorstelling vrijdag.' Ze haalde haar schouders op. Misschien was zíj wel krankzinnig, maar ze had zowaar het gevoel dat er een kans was dat ze goed zouden klinken waar de hele school bij was. 'Dan weten we voor eens en voor al-tijd of Glee gedoemd is te sterven.'

'Ik hoop het niet.' Artie leunde weer naar achteren. Rachel was nog steeds aan het bekvechten met Coach Sylvester. Hij kon zich een leven zonder Glee niet voorstellen. Hij kon nu na schooltijd bij Tina zijn, en zingen, en eens wat anders dan 'die-jongen-met-de-rolstoel' zijn. Bij Glee was hij een bariton, iemand die laag kon zingen, iemand die een vette interpreta-tie gaf van Ushers 'OMG'. Hij hoorde dan ergens bij, was even niet een eenzaam puzzelstukje dat nergens paste. Bij Glee was hij normaal. 'Glee is het leukste stuk van de dag.' Zijn don-kere ogen keken haar even aan voordat hij weer terugkeek naar zijn lijst Spaanse werkwoorden.

Tina bloosde. Dat was precies wat zij voelde. 'Ik... ik,' sta-melde ze. Ze kon de woorden niet vinden. 'Ik weet wat je be-doelt,' besloot ze.

Artie knikte. 'Dus als we met hulp van Rachel in leven blij-ven, ben ik bereid om concessies te doen. Zoals haar vreselijke persoonlijkheid te tolereren.'

'En dan wil ik eindigen met mijn muzikale noot van de dag,' zei Rachel door de intercom. Coach Sylvester was briesend het absentenkantoortje uitgestormd en broedde nu waarschijnlijk ergens op wraak. Met heldere, zekere stem zong Rachel een vers van een oud Rolling Stones nummer *'Goodbye, Ruby Tuesday / Who could hang a name on you?'*

Na bijna tien jaar ervaring als docent van een doorsnee middelbare school, ergens middenin het boerenland van Ohio, had meneer Schuester geleerd om in slaapstand te gaan als een leerling begon te ratelen. Die ochtend had hij gefantaseerd dat hij eigenaar was van een *bed & breakfast* op Bali en daardoor had hij het grootste deel van Rachel Berry's mededelingen gemist. Op papier was ze het soort leerling waar elke docent blij mee was, maar in levende lijve was ze niet helemaal waar je op zat te wachten. Vorig jaar had Rachel bij de Spaanse les zo vaak haar hand opgestoken dat meneer Schuester zijn bureau gedraaid had zodat hij niet de hele tijd die hand in de lucht hoefde te zien wapperen. Haar enthousiasme was, in bepaald opzicht, charmant, maar in andere opzichten gewoon erg irritant.

Maar toen zij 'Ruby Tuesday' begon te zingen, had ze de volle aandacht van meneer Schuester. Ondanks de slechte akoestiek van de microfoon in het absentiehok en ondanks de statische intercom was duidelijk hoorbaar dat Rachel goed kon zingen. Heel erg goed zelfs. Haar stem bracht hem even terug naar zijn eigen tijd als leerling op McKinley High, toen Glee een succesvolle club was van getalenteerde, zelfverzekerde leerlingen die het geweldig vonden om voor de hele school op te treden en elke keer de tent afbraken. Hij was een van de sterren geweest. En hoewel hij nou niet wilde suggereren dat hij iedereen kon krijgen die hij wilde hebben, had hij zeker veel vrouwelijke fans gehad. Maar het had bij hem altijd alleen maar om Terri gedraaid, met wie hij halverwege hun studie aan Ohio State University was getrouwd.

'Tot morgen!' Rachel sloot af met haar vrolijke stem. 'Vergeet niet om níet te stemmen.'

Met een glimlach stond meneer Schuester op. Hij keek naar de rijen verveelde leerlingen. Een paar kauwden op hun potloden. Andere zaten te sms'en onder de tafel, alsof hij dat niet door zou hebben. Hij was van plan geweest om die les werkwoorden met -er te vervoegen, maar ineens had hij zin om iets anders te doen. Iets nieuws en spannends.

'Jongens, willen jullie de woorden van "Guantanamera" leren?' De herinneringen aan zingen en jammen tijdens de Glee-jaren inspireerden hem weer. Alles leek toen zoveel... vrolijker.

De leerlingen keken elkaar aan, alsof hij een strikvraag stelde. 'Is dat een liedje?' vroeg iemand.

'Alleen maar het populairste lied in de geschiedenis van Cuba.' Hij schraapte zijn keel en hief het lied aan. Eerst giechelden de leerlingen en keken ze hem aan alsof hij geschift was. Maar na een poos kon hij ze zien swingen in hun stoelen, alsof ze geen weerstand konden bieden tegen dit ritme. Een paar cheerleaders achterin klapten mee. Hij voelde zich goed, en deed een paar salsa-achtige pasjes, tot grote hilariteit van zijn leerlingen. Hij was vergeten dat dansen je zo'n goed gevoel geeft, hoewel Terri claimde dat je schurft kreeg van dansen. Van de eerste rij tot achter in de klas zag hij een lach op de gezichten verschijnen, als zonnen die een voor een opkwamen.

Meneer Schuester lachte ook. Hij wist het weer: lesgeven kon leuk zijn.

Sportvelden, dinsdag na schooltijd

Na de laatste bel wemelde het altijd meteen van de sportieve leerlingen op de grote, groene sportvelden achter het schoolgebouw. Jongens en meisjes in hardloopbroeken en McKinley Atlethiekclub-T-shirts renden over de velden en door de straten rond de school voor hun hardlooptraining. Op de voetbalvelden denderden de elftallen over het gras en vochten om de bal. Het footballteam regeerde over het football veld in het midden, en de Cheerios oefenden altijd in de *end zone* aan de overkant van het veld. Die dinsdagmiddag was het zomers warm. Op het cheerleading-team na, dat streng geregeerd werd door Coach Sylvester, waren de meeste teams allemaal wat loom en lui. De hardlopers liepen wat minder hard en hadden eindelijk eens tijd om relaxed te flirten.

De footballspelers, met hun helmen, uniformen en de enorme schouder- en borstbescherming, waren het sloomst van allemaal. De meeste spelers lagen in verschillende houdingen op het veld en deden alsof ze net klaar waren met een serie grondoefeningen als Coach Tanaka hun kant uit keek. De coach was in de buurt van de doelpalen aan het oefenen met Daniel Duffy, de *kicker* van het team. Van de 23 pogingen was Daniel er tot nu toe maar één keer in geslaagd de bal tussen de hoge palen te schoppen. De rest van het team had strikte orders ontvangen om tactieken te oefenen maar niemand had zin om te bewegen en door de hitte konden ze zich ook al helemaal niet concentreren.

Het hielp ook niet dat de Cheerios aan het eind van het veld extra hyper deden. Met hun zangerige stemmen riepen ze aansporingen die de jongens niet konden verstaan. Hun blonde paardenstaarten wipten energiek op en neer terwijl zij foutloos hun dansen en sprongen uitvoerden. In het stralende licht van deze middag in september leken ze net vogels. Soepele acrobatische vogels, dacht Finn. Hij had de bal over het veld staan gooien naar Puck Puckerman, maar die liet de bal de hele tijd uit zijn handen vallen omdat hij ook naar de meisjes keek.

'Man, ze zijn zo lekker.' Puck dook op achter Finn en stompte hem op zijn harde schoudervulling. Ze waren al jaren vrienden, sinds ze tegenstanders waren in een baseballwedstrijd toen ze nog op de basisschool zaten. Puck had Finn met de bal op zijn hoofd geraakt. Hij had gezegd dat het Finns eigen schuld was omdat hij op zijn honk was blijven staan, en Finn had Puck woedend aangevallen. Finns moeder had ze na de wedstrijd meegenomen voor een ijsje en de vrede was snel gesloten. 'Het is een wrede en maffe straf om ons oefeningen te laten doen terwijl zij daar in opwaaiende rokken met hun heupen staan te draaien.'

'Ik weet het. Ze zijn goed.'

Ze keken samen naar Quinn Fabray, die net begon te rennen. Ze hielden allebei hun adem in terwijl zij een perfecte dubbele salto deed en daarna door de lucht draaide met een sierlijke beweging waarmee Quinn zo mee kon doen aan de Olympische Spelen. Ze kwam met een harde 'oef' weer op haar voeten neer en haar paardenstaart wipte omhoog. Ze ging weer terug in haar basishouding staan zonder een druppel gezweet te hebben. Zweten meisjes eigenlijk, vroeg Finn zich af. Waarom roken ze na hun repetities nooit zoals de kleedkamers van de jongens? Hij wist bijna zeker dat Quinn altijd lekker rook.

'Quinn dus.' Puck keek naar Finn. Hij deed zijn helm af en hield hem vast tegen zijn zij. 'Gaan jullie uit?'

'Geen idee. Soort van. Ik bedoel, ja, ik denk dat we binnenkort iets doen samen.' Finn veegde het zweet van zijn voorhoofd met zijn klamme hand. Hij wist eigenlijk niet waarom Quinn hem mocht, maar ze zag hem in elk geval staan, anders had ze hem vast niet gevraagd om mee te gaan naar de Onthoudingsclub en ook niet om na afloop een ijsje te eten. Hij had haar altijd wel een mooi meisje gevonden, en nu ze hem aandacht begon te geven vond hij dat hij daar op in moest gaan. Alleen een idioot zou niet ingaan op Quinn Fabray. 'Ik ga vanmiddag met haar naar de Onthoudingsclub.'

'Puck trok zijn wenkbrauwen omhoog. 'Hoe zit dat dan?'

'Geen idee.' Zei Finn. 'Ik denk dat ze, eh, niet in seks gelooft.' En dat was vreemd, want Quinn was echt hot, en ze praatte heel zwoel met een zachte stem die schattig en meisjesachtig klonk, zelfs als ze iemand helemaal verrot schold. Zoals laatst tijdens de lunchpauze, toen ze tegen Brittany en die Rachel Berry tekeer was gegaan, en tegen die arme gozer die Puck en de rest de hele tijd in de vuilniscontainer gooiden. Eigenlijk leek het alsof Quinn meestal kwaad was op iets of iemand.

Maar de manier waarop ze zijn arm had aangeraakt toen ze hem uitnodigde voor de Onthoudingsclub, zo zacht, echt heerlijk. Hij vond haar leuk. Heus. Zeker weten, tenminste, zo goed als. Het was gewoon zo moeilijk om zoiets te weten. Puck was echt de tiende gast die hem aan zijn kop zeurde over Quinn en hij voelde de druk toenemen. Als hij haar niet mee-vroeg naar het homecoming-feest, betekende dat dan dat er iets mis met hem was? Of met haar?

'Je moet uitkijken met die gelovige meiden,' antwoordde Puck. Hij keek hoe Quinn boven op een piramide van meisjes klom. 'Die zijn wild onder dat laagje braafheid.' Het was niet eerlijk dat Finn als eerste een hapje van Quinn mocht proeven, alleen omdat Finn de quarterback was. Het team was echt heel slecht, dus wat zei dat eigenlijk over Finns kwaliteiten als quarterback? En Finn was niet eens echt gek op haar, wat ook niet eerlijk was, omdat Puck haar wilde. Heel erg wilde.

Ze was altijd al mooi geweest maar ze was Puck nooit op-gevallen omdat ze zo braaf was. Tot dit jaar, tot de eerste schooldag. Ze was bij Biologie voor Puck gaan zitten. Toen ze haar arm optilde om aan haar schouder te kriebelen, rolde de kraag van haar shirt open en kreeg hij een glimp van haar zachtroze beha-bandje te zien. Voor Puck was het uitzicht op beha-bandjes normaal gesproken niet wereldschokkend interessant. Hij had net een zomer lang veel geld verdiend met zwembaden schoonmaken – zijn succes had hij grotendeels te danken aan zijn vermogen eenzame, rijpe vrouwen te vermaken. Vrouwen met sexy lingerie die openlijk naar zijn gespierde lijf hongerden.

Maar er was iets met dat zachtroze beha-bandje op Quinns gebruinde schouder dat hem onrustig maakte en hem opwond. Soms dacht hij er weer aan als hij aan het hardlopen was, of een stuk pizza at, of een eerstejaars slushte, en dan was het beeld zo sterk dat hij zou zweren dat hij haar aardbeienshampoo kon ruiken.

'Geen idee,' zei Finn alweer. En hij klonk teleurgesteld. Hij pakte een football en gooide hem omhoog. 'Ik geloof niet dat Quinn zo'n meisje is.'

Aan de andere kant van het veld blies Coach Sylvester op haar zilveren fluitje toen Quinn na een sprong van de meisjespiramide veilig geland was in de armen van Brittany en Santana. 'Vijf minuten pauze, dames. Nee, doe maar drie, die piramide stond niet stevig en als jullie denken dat we zo kunnen winnen, heb je het mis. Vinden jullie het moeilijk? Probeer je eigen oog maar eens te laseren. Dát is moeilijk.' Ze klopte Quinn op de schouder terwijl ze langs liep. 'Goed gedaan, Q. Deze luie misbaksels zullen jouw perfectie nooit bereiken.'

'Bedankt.' Quinn en Santana liepen naar hun bankje en pakten hun waterflessen. Quinn gooide haar hoofd naar achteren en nam een lange teug water dat warm was van de zon. Ze voelde de ogen vanaf de andere kant van het veld nog steeds door haar heen boren. Finn en Puck keken nu al tien minuten naar haar en dat voelde goed. Wie kon de bewonderende blikken van twee mooie jongens nou niet waarderen? Haar vader had haar van jongs af aan op een voetstuk geplaatst. Quinn hongerde naar de aandacht van mannen. Ze ging er rechter van zitten, mooier van lachen en deed extra haar best met salto's springen.

'Puck kan vandaag zijn ogen niet van me af houden,' beweerde Santana en ze zwaaide flirtend naar Puck, haar heupen draaiend.

Ben je blind, wilde Quinn vragen. Hij kijkt naar mij. Maar in plaats daarvan zei ze neutraal: 'Hmm.' Misschien had Santana wel gelijk – misschien keek Puck helemaal niet naar Quinn. Santana was mooi, vond Quinn, op een goedkope manier. De hele school wist dat Santana het jaar daarvoor met minstens zes jongens had liggen rotzooien. En Puck was tenslotte een beruchte *player* die het ongeveer een week volhield met hetzelfde meisje voordat hij haar dumpte – meestal voor haar beste vriendin.

Waarom kon het Quinn zoveel schelen wat Puck ergens van vond? Hij was zo'n jongen die spijbelde en bot deed tegen docenten en hij had helemaal geen ambitie om weg te komen uit Lima. Over tien jaar zou hij ongetwijfeld een gesjeesde alcoholist zijn en bij zijn moeder wonen na een of andere mislukte studie aan de Hogeschool van Lima. Echt een Lima Loser in wording.

Nou ja, in elk geval keek Finn wel de hele tijd naar haar. Hij had niet bepaald hersens maar hij was lang en zag er goed uit. In principe had ze niet meer nodig, toch?

'Wedden dat hij me vraagt voor het homecoming-feest?' Santana trok de banden van haar sportbeha wat strakker.

'Wie?'

'Puck natuurlijk.' Quinn pakte haar enkel vast en trok haar been omhoog om haar spieren te rekken. Ze keek naar de tribune zodat ze Santana's gezicht niet hoefde te zien. De tribune was leeg op een paar trompetspelers na die voor de homecoming-wedstrijd oefenden. Ze werd ineens misselijk bij de gedachte aan Puck die Santana bij de heupen vast hield en met haar zoende terwijl ze wiegden op een suf soft-rocknummer.

'Ik weet het zeker.' Santana porde haar in haar zij. 'Gaat het? Je ziet bleek.'

'Ik ben uitgedroogd,' loog Quinn. Ze liet haar enkel los en pakte haar waterfles.

'O.' Santana sloeg haar arm om Quinns schouder. 'Weet je,

Finn gaat je vast vragen. Hij kijkt al een uur naar je. En jullie zouden een mooi stel zijn samen.'

'Dat is zeker.' Quinn glimlachte. Ze zag voor zich hoe Finn aan zou bellen bij haar gigantisch grote huis met een corsage in de totaal verkeerde kleur, met een brede lach op zijn gezicht. 'We worden een mooi stel.'

Later, toen Coach Sylvester haar fluit drie keer blies om aan te geven dat de repetities waren afgelopen, probeerde Quinn niet naar de footballspelers te kijken terwijl ze terug naar de kleedkamers liepen. Santana begon te rennen zodat ze met Puck mee kon lopen, haar paardenstaart wipte op en neer. Quinn moest op haar wang bijten om zichzelf te bedwingen, zo graag wilde ze ernaartoe rennen om Santana weg te houden bij Puck.

Wat was ze belachelijk bezig zeg. Wat was er nou zo bijzonder aan Puck? Voelde zij zich tot hem aangetrokken omdat hij zo'n stouterd was? Dat was toch te dom voor woorden. Langzaam raapte ze haar spullen bij elkaar. Ze genoot van de voldoening die ze kreeg na een zware repetitie. Haar kuiten trilden van vermoeidheid en haar schouders deden pijn. Het was een lekker soort pijn. Alle Cheerios waren naar de kleedkamers gehold om zich om te kleden en het was fijn om even alleen te zijn. De footballtraining en atletieksessies waren ook afgelopen en het werd stil op de velden. Ze gooide haar tas over haar schouder en liep langs de tribune. Ze probeerde niet te denken aan Santana, die nu waarschijnlijk schaamteloos met Puck aan het flirten was.

Ineens werd ze van achteren vastgepakt en onder een bank getrokken, naar de hoek waar ouderejaars tijdens wedstrijden heengingen om te vozen. Een kreet van angst ontsnapte aan haar lippen, maar een sterke hand draaide haar om en ze zag wie haar ontvoerd had. Puck.

Haar bruine ogen gingen wijd open en het leek alsof haar buik een dubbele salto deed, net als die keer in de achtbaan in dat pretpark. 'Wat doe je?' Haar tas gleed van haar arm en viel op het zachte gras.

'Waar ik al de hele middag aan moet denken. Let op.' Puck duwde haar tegen een van de stalen pilaren waar de tribunes op leunden en drukte zijn lippen op de hare voordat ze iets kon zeggen of denken. Zijn mond was warm en verrassend teder. De hitte golfde door Quinns lichaam, van haar lippen tot de toppen van haar vingers, en naar beneden tot haar tenen ervan tintelden. Ze zat in de achtbaan, roetsj naar beneden.

Quinn duwde Puck van zich af. Ze haalde diep adem en trok haar rokje recht. Ze probeerde de dartelende vlinders in haar buik te bedwingen. De laatste jongen die haar had mogen kussen was Andrew Atkinson, en dat was een beetje alsof ze een kikker met teveel speeksel zoende. Met Puck zoenen was... iets heel anders. 'Wie zei dat je dat mocht?' Opstandig stak ze haar kin naar voren.

'Jij.' Puck grijnsde zelfverzekerd. Hij rook naar zweet, maar bij hem was dat lekker. 'Ik zag je naar me staren tijdens de repetities. Ik dacht dat ik mijn kans zou missen door dat gezwets van Santana.'

De vlinders in haar buik waren nu overgegaan tot karate. Ze kon niet geloven dat hij haar gezoend had. 'Ik dacht dat je haar wel zag zitten,' zei Quinn. Ze sloeg haar armen over elkaar.

'Je weet dat ik je leuk vind.' Puck streelde haar blote arm met zijn wijsvinger, en Quinn voelde hoe alle kleine haartjes op haar arm rechtop gingen staan van de elektriciteit die dat veroorzaakte. 'Geef maar toe, Quinn. Je vindt mij ook leuk.'

Ze deed haar mond open om hem te vertellen dat hij het verkeerd had, maar in plaats daarvan kon ze alleen maar denken aan hoe zacht zijn volle lippen voelden. Voor ze het wist leunde ze naar voren en zoende ze hem op de mond. Zijn lippen openden zich vol vuur. Mijn God, dacht ze terwijl hij haar tegen de pilaar duwde, zijn stevige hand op haar heup. Dit is hoe een zoen moet voelen. Ze had het gevoel dat haar hersens langzaam maar zeker wegdreven en haar lichaam de controle overnam. Ze kon niet geloven dat het haar eigen handen waren die over Pucks klamme t-shirt gleden, over zijn mohawk – ze had zich altijd afgevraagd hoe dat zou voelen

– terwijl ze hem naar zich toe trok. Hij deed haar aan *Juicy Fruit*-kauwgom denken – waarom wist ze ook niet. Die kauwgom had ze zo lekker gevonden dat ze er nooit lang op kon kauwen omdat ze het – ze kon er niets aan doen – gewoon door móest slikken. Puck was net als *Juicy Fruit*. Ze wilde hem gewoon opeten.

'O, wacht.' Quinn duwde Puck ineens van zich af. Hij struikelde naar achteren. 'Hoe laat is het? Ik moet de Onthoudingsclub voorzitten.'

'Zeg het af.' Puck pakte Quinns arm en probeerde haar weer naar zich toe te trekken. Een deel van haar wilde niets liever dan de rest van de middag hier stiekem onder de tribunes zoenen met Puck. Een ander deel wist dat het tijd was dat ze terugkeerde tot de werkelijkheid.

'Ik kan het niet afzeggen.' Ze schudde Pucks hand van zich af. Hij deed een stap naar voren en ze voelde hoe ze weer betoverd raakte door zijn lichaam. Dat mocht niet gebeuren. 'Trouwens, ik heb Finn gevraagd om een ijsje te eten na afloop.'

Puck deed een stap naar achteren. 'Maar je bent niet...' Hij maakte de zin niet af.

'Sorry, ik moet rennen, ik ben veel te laat.' Ze greep haar tas, gooide hem over haar schouder en rende naar het schoolgebouw, Puck eenzaam achterlatend onder de tribunes. Hij keek haar na. Ook al noemde papa haar al jaren zijn prinsesje, ze had zich nog nooit zo'n Assepoester gevoeld als nu, zich van het bal naar huis haastend terwijl ze bij haar prins wilde blijven.

6

Gang op McKinley High, dinsdag na school

Met het haar nog nat van de douchesessie na de training liep Finn Hudson, rugtas over z'n schouder, door de gang van het schoolgebouw. Hij was op weg naar de Onthoudingsclub. Hij was altijd blij als hij klaar was met football voor die dag. Vaak maakte Finn tijdens de les een gooibeweging met zijn machtige rechterarm, alsof hij de bal gooide naar de *wide receiver* bij de end zone. Dat moest hij voor de training doen om zich op te laden. Football was wel oké, maar niet echt boeiend meer. Vorig jaar, toen hij eerstejaars was en alle meisjes ineens naar hem keken zodra hij zijn uniform aan had, was het nog wel spannend. Niet normaal gewoon, ze hingen zelfs rond de kleedkamer na een wedstrijd – zelfs na een slechte wedstrijd – en hoopten dat hij met ze wilde praten. Dat was best vet.

Nu was het anders. Hij dacht de hele dag aan football. Thuis deed hij soms staand zijn huiswerk, zodat hij kuitspieroefeningen en *squats* kon doen terwijl hij werkte. Als hij zijn huiswerk dééd. Op het veld werkte hij tien keer harder. Hij was altijd een van de eerste jongens op het veld na schooltijd. Hij had niet altijd lol, maar hoopte dat al zijn inzet op een dag beloond zou worden als een *scout* van een goede universiteit hem zou zien spelen en hem een sportbeurs zou aanbieden. Het interesseerde hem niet eens welke opleiding het werd, als hij maar weg kwam uit dit gat.

'Hoi Finn, ben je klaar om Central High te vermorzelen dit weekend?' Terwijl Santana Lopez langs hem liep in haar ultrakorte rood-met-zwarte Cheerios-trainingsoutfit, streken haar lange zwarte haren langs zijn arm.

'Eh, ja, vast.'

'Quinn zei dat je naar de Onthoudingsclub komt vandaag.'
Santana's gympen piepten op de vloer terwijl ze samen door
de gang liepen. 'Is het je eerste keer?'

Dat was nogal een rare vraag om te stellen in verband met
de Onthoudingsclub. 'Ja, ik ben er nog nooit bij geweest.'

'Gaaf.' Finn liep achter Santana lokaal 212 binnen, zijn ogen
gericht op haar zwiepende Cheerios-rokje terwijl ze heupwie-
gend het lokaal inliep. Ze was niet zo mooi als Quinn, maar
had wel een ongelofelijk lekker lijf. Het leek zo gewoon om na
te denken over hoe fijn meisjes waren. Kreeg hij nou van de
Onthoudingsclub te horen dat zoiets niet mocht?

'We halen altijd de meisjes en de jongens het eerste halfuur
uit elkaar,' legde Santana uit terwijl ze op een tafel ging zitten. 'Zodra Quinn de vergadering heeft geopend.'

Finn bleef staan. Hij had Quinns zijdeachtige blonde haar
nog nergens gezien. Deze vergadering was alleen maar te har-
den omdat hij na afloop een afspraakje met haar had en hij dan
misschien aan haar mocht zitten. Maar in plaats daarvan zat
hij hier nu opgescheept met een handjevol Cheerios die Quinn
ongetwijfeld gechanteerd had om lid te worden, en een paar lelijke sukkels die waarschijnlijk het idiote idee hadden dat ze via
de club meer kans hadden om ontmaagd te worden. Er waren
ook een paar eerstejaars en tweedejaars meisjes in slonzige kleren die eruitzagen alsof ze een hekel aan jongens hadden.

Finn voelde een migraine opkomen. De kamer was over-
verhit en hij had geen idee waar hij het met die gasten een halfuur lang over moest hebben. Aan de muur hing een poster
met Miss Piggy en Kermit de kikker in trouwkleren en de slo-
gan HET WACHTEN WAARD.

'Gaat het wel goed met Quinn?' vroeg een verlegen meisje
met melkboerenhondenhaar aan hem. Ze was een eerstejaars
in het Cheerios-team. 'Ze komt nooit te laat.'

'Ik weet het niet,' antwoordde Finn en keek over zijn
schouder. Wat hij wél wist, was dat hij hem ging peren als ze
niet kwam opdagen. Maar dat was het – hij had ineens een
briljant excuus om weg te gaan. 'Maar, eh, ik ga haar wel zoe-

ken.' Hij glipte de gang op en was snel verdwenen, blij om even vrij te zijn.

Finn slenterde door de lege gangen van de school, half zoekend naar Quinn. Hij boog voorover om een slok water te drinken uit de fontein bij de aula. Een roze stuk kauwgom dreef bij het putje maar hij negeerde het. Precies op het moment dat het koele water omhoog kwam tegen zijn lippen, begon iemand te zingen. Prachtig. Hij vergat om zijn mond open te doen en het water ketste tegen zijn mond.

Finn rechtte zijn rug en veegde zijn mond af. Hij liep naar de deur van de aula. Een meisje zong een ouderwets klinkend liedje dat prachtig klonk.

Hij had het er nooit over, maar Finn was gek op zingen. Hij zong altijd in de douche en zelfs in de kleedkamer als het rustig was. Hij zong vooral oude Bruce Springsteen-nummers als hij zich inzeepte, en Air Supply als hij zich afspoelde. Als hij zong vergat hij de spierpijn en kramp die hij kreeg door al die klappen op het veld. Alsof hij een botsauto was die alle kanten op geduwd kon worden. Als hij zong werd hij iemand anders.

'It all began tonight / I saw you, and the world went away.' Wie zong daar zo mooi? Het leek bijna een opname, de stem was zo zelfverzekerd en ervaren. Finn glipte zachtjes door de deur en bleef staan in de schaduwen van de aula.

Midden op het podium, moederziel alleen, stond Rachel Berry.

Huh?! Ze zat vooraan bij geschiedenis, en beantwoordde iedere vraag van meneer Tucker met een betweterig stemmetje alsof het haar verbaasde dat hij dat überhaupt wilde weten. De footballjongens die rond Finn gingen zitten in de les gooiden altijd natte propjes papier in haar richting, om te kijken of ze aan haar glanzende haar bleven plakken. Ze had altijd kniekousen en spencers aan, en Schotsgeruite rokken, alsof ze op een katholieke meisjesschool zat en zij de enige was met een uniform.

Maar dit meisje op het podium leek een totaal ander ie-

45

mand. Oké, Finn had haar horen zingen na de mededelingen op de intercom en haar stem klonk redelijk goed. Maar Finn had haar stem niet aan haar gezicht gekoppeld. Tot nu. Finn stond als aan de grond genageld en keek bewonderend toe hoe Rachel over het podium bewoog en uit volle borst zong alsof de aula tot de nok toe gevuld was met duizenden fans. Ze zong alsof de hele wereld toekeek en ze zag eruit alsof ze het geweldig naar haar zin had. Finn kneep zijn ogen samen en speurde de aula af om te kijken of ze echt voor iemand aan het zingen was, maar er was niemand.

Rachel Berry zag er heel erg fijn uit.

'*What you are, what you do, what you say...*' zong Rachel en reikte haar hand naar voren. Een deel van Finn wilde die hand vastpakken. Hij wist niet wat er precies aan de hand was, maar hij had het gevoel dat hij vanbinnen helemaal trilde als hij haar zo hoorde zingen. Alsof hij, hoe maf het ook leek, verliefd op haar werd?

Rachels lied was afgelopen, maar het lied hing als een echo in de lucht. Ze praatte nu heel zacht tegen zichzelf, waarschijnlijk commentaar op haar optreden. Finn schudde zichzelf uit zijn trance. Nu was ze weer gewoon Rachel Berry, het meisje van geschiedenisles. Maar nu hij haar had horen zingen vond hij het moeilijk om haar betweterige stemmetje weer voor de geest te halen.

Rachel neuriede voor zich uit terwijl ze de lege aula inkeek. Ze had het lied perfect gezongen, wat geen verrassing was. Ze zong het al toen ze nog luiers droeg. Als ze haar ogen sloot en zong, stond ze niet op het podium van de aula van McKinley High maar van het grootste Broadway-theater en zong ze voor duizenden gebiologeerde mannen en vrouwen die tranen in hun ogen hadden (de mannen ook!) en op de posters tegen de voorgevel was haar naam de grootste van allemaal.

Ze hoefde alleen maar de Glee Club weer tot leven te wekken. De club was ingekakt na jarenlange verwaarlozing door leerlingen die het links lieten liggen voor leukere activiteiten zoals cheerleading en de Wiskundeclub. Hoe moeilijk kon het zijn om de club klaar te stomen voor wedstrijden dit jaar?

Ze deed haar ogen open. Meteen zag ze Finn Hudson bij de orkestbak onder het podium staan, naast de trap aan de zijkant. Hij staarde naar haar.

Haar hart bonsde. Had hij de hele tijd naar haar staan kijken? Finn Hudson met de brede schouders, die fijne bruine ogen en dat vlekje op zijn linkerwang dat zo klein was dat Rachel er een kusje op wilde geven. Had hij naar haar staan kíjken? Ze dacht dat hij niet eens wist dat ze bestond en nu had hij een vreemde blik in zijn ogen alsof hij... haar heel bijzonder vond.

'Hoi Finn,' lachte Rachel. Het was een beetje raar om op hem neer te kijken vanaf het podium. Ze liep naar de trap. 'Wat doe jíj hier?'

Finns rugzak stootte tegen een drumstel dat eenzaam en verlaten in de orkestbak stond. 'Ik eh, was naar de Onthoudingsclub en, eh, ik kon je horen op de gang.' Hij gebaarde naar de gang.

'O?' Rachel streek de zijkant van haar roze met wit geruite rokje glad. Finn Hudson stond gewoon met haar te práten! Haar hart bonkte. Ze had net gefantaseerd dat duizenden mensen haar bewonderden maar nu híj het was die voor haar stond was ze ineens zenuwachtig. Hij ging haar vertellen dat ze te veel lawaai maakte. Dat was natuurlijk waarom hij haar aansprak. Toch? 'Ik ben klaar. Sorry voor de overlast.'

'Zo bedoelde ik het niet. De club is nog niet begonnen.' Finn wipte heen en weer op zijn benen en keek haar verlegen aan. 'Ik moest gewoon even luisteren, weet je. Ik bedoel, je hebt een geweldige stem.'

'O.' Rachel klonk opgelucht. 'Bedankt. Dat heb ik vaker gehoord.' Ze liep de trap af om dichter bij Finn te komen. Misschien zou ze hierna nooit meer de kans krijgen om alleen met Finn te zijn en met hem te praten. Hij had het zo druk met football spelen en populair zijn dat hij waarschijnlijk niet veel tijd over had om met iemand te praten die zo ver onderaan de populariteitsladder stond als Rachel. Ze wilde zijn ogen eens goed bewonderen. Ze wist nooit of ze nou bruin waren, of goudbruin, of er tussenin.

Het was maf om met Rachel te kletsen, maar Finn kon niet ophouden. 'Ik vind het tof dat je daar gewoon gaat staan en, nou ja, zo zingt.' Hij haalde zijn schouders op. 'Zou ik nooit kunnen.'

Rachels ogen sperden zich maximaal open. Ze bleef op de eerste traptrede staan. Finn was superlang en zij wilde niet al te klein lijken. Voor het geval hij het op een dag zat was om met Barbies uit te gaan en toe was aan een spannender soort meisje. 'Waarom niet? Je staat elke week op een veld een bal te gooien voor een groot publiek.'

'Ja, maar die rekenen erop dat we weer verliezen, dus dan is het niet zo spannend.' Hij keek omhoog naar de lampen boven het podium, die hem bijna verblindden. 'Op zich zijn er ook felle lampen op het veld.'

Rachel kwam een klein beetje dichterbij. Ze rook de Axe-douchegel. Ze vroeg zich af wat er na de training in de kleedkamer gebeurde en hoe het voor de jongens was om samen te douchen. 'Ben je klaar voor de homecoming-wedstrijd?'

Finn kreunde.

'Zo erg is het toch niet?' vroeg Rachel. Ze kon niet geloven dat het gesprek met Finn Hudson zo lang duurde. Hij had al zowat honderd woorden tegen haar gezegd.

'Nee, maar ik ben het zat om over football te praten.' Finn vond het irritant dat iedereen bij hem altijd alleen maar aan football dacht, alsof hij alleen maar die quarterback was en de rest niemand boeide. Football was af en toe tof, maar er was meer onder de zon. Dat moest toch haast wel? 'Het zou tof zijn om ook iets te kunnen. Iets van betekenis. Zoals wanneer jij zingt.'

Rachel haalde haar schouders op maar haar wangen gloeiden van trots. Complimenten waren altijd welkom, maar die van Finn voelden wel heel speciaal. 'Ik oefende voor de muziekvoorstelling van vrijdag. Glee heeft net nog gerepeteerd maar ik vind de akoestiek hier beter.' Finn draaide zijn hoofd naar haar toe en het licht reflecteerde in zijn ogen: ze waren bruin met kleine groene vlekken. Ze wilde iets zeggen, maar wist niet wat. Zoals hij haar aankeek... ze durfde niets meer...

'Wat spook jij hier uit, Finn?'

Quinns bitse stem siste door de aula. Ze stond in de deur-opening met haar Cheerios-capuchontrui over haar trainings-rokje. Ze keek Rachel vernietigend aan. 'Ik dacht dat je met mij meeging naar de Onthoudingsclub.'

'Dat ging ik doen,' zei Finn blozend. 'Ik bedoel, ik kom eraan.' Hij keek naar Rachel. Hoeveel had Quinn gehoord? Ineens schaamde hij zich voor de situatie. Wat deed hij hier?

'Kom.' Quinn beende naar Finn en legde haar hand kalm-pjes op zijn arm. Hij staarde naar haar lichtroze nagels. Ze zagen er onnatuurlijk uit. 'Ik wil niet nog later zijn.'

Ze trok hem naar de deur en botste tegen Puck, die net de aula binnen kwam. Haar hoofd stootte tegen zijn borstkas. Ze deinsden bij elkaar weg alsof ze zich aan elkaar verbrand hadden.

'Ik dacht dat je met Merino meereed?' vroeg Finn, die zich nog meer schaamde nu Puck hem hier ook al zag met Rachel. Puck was zijn vriend, maar als hij erachter kwam dat Finn van zingen hield, zou hij een tutu aan Finns voorhoofd vast-nieten.

Puck schraapte zijn keel. Hij was Quinn achterna gelopen in de hoop haar nog even te spreken maar nu keek Finn hem achterdochtig aan. Zat zijn gezicht onder Quinns lipgloss of zo? Snel antwoordde hij: 'Wat doe jij hier in deze peuterspeelzaal? Oppassen?'

Quinn barstte in lachen uit. Rachel deed alsof ze naar een muziekblad keek. Rachel voelde zich een schnauzer vergele-ken met Quinns lange blonde haar, gekrulde wimpers en schattige wipneus. 'Nee echt, Finn.' Quinns stem was ijskoud. 'Wat doe je hier?'

'Niks,' zei Finn. Hij stak zijn handen in zijn broekzakken. Hij keek achterom naar Rachel en glimlachte verontschuldi-gend. Toen draaide hij zich om. 'Kom, we gaan.'

Rachel keek ze na. De moed zakte haar in de schoenen. Moest Quinn nou echt iedereen beledigen? Ze had alles, zelfs Finn. En Puck was een eikel. Dat wist iedereen. Hij had een jongen op zijn bek geslagen omdat hij een T-shirt droeg van de Universiteit van Michigan. Het interesseerde haar meestal helemaal niks wat die stomme populaire leerlingen van haar dachten. Als ze later een beroemde zangeres was op Broadway zou ze tenslotte ook wel eens kritiek krijgen van een of andere onervaren recensent. Daar kon ze dan mooi tegen na al het gepest op school.

Het had haar echt niks kunnen schelen als ze daarnet niet het gevoel had gekregen dat zij en Finn iets deelden. Ze wist het zeker. Ze had het zich niet verbeeld, iets in Finn stond open voor haar. Misschien was Finn zijn volmaakte, voorspelbare bestaan zat.

Ze kon het hem niet echt kwalijk nemen dat hij haar links liet liggen zodra zijn vriendjes binnenkwamen. Ze mocht dan een grote ster worden, nu stond ze nog onderaan de sociale ladder van McKinley High. Hij kon er niets aan doen dat het hem zoveel kon schelen wat zijn vrienden ergens van vonden. Ook al had hij vijf minuten aandacht voor Rachel, Finn was de ongekroonde koning van McKinley High die geen idee had hoe het leven was als je op de laagste tree van de ladder stond.

Het huis van Mercedes, dinsdagavond

Bij de Joneses was het altijd rumoerig tijdens het avondeten. Naast de familie van Mercedes aten minstens een familievriend en een handjevol neven en nichten mee. De moeder van Mercedes geloofde heilig in de spreuk 'Hoe meer zielen, hoe meer vreugd'. Haar vader had zijn eigen tandartspraktijk en sloeg zijn vrouw elke avond verlekkerd op haar kont als hij thuiskwam. En elke avond schaamde Mercedes zich dan voor haar vader. Meestal was er geen tijd om naar Mercedes te luisteren, omdat haar ouders eerst alle andere verhalen aan tafel aanhoorden.

Het eten bestond meestal uit een vergaarbak van restjes – spontane ovenschotels met gewaagde combinaties van groentes en kazen – of afhaalmaaltijden van de pizzaboer, Chinees of het Indiase restaurant op de hoek. Die stonden allemaal in het snelkeuzemenu van de vaste telefoon in de keuken van de familie Jones. Die avond was het de diepgebakken tweekazenpizza van La Paloma's geweest en hadden twee van haar moeders hiphopaerobics-vriendinnen en Mercedes' achternicht meegegeten.

Ze was blij dat ze eindelijk alleen was, op haar kamer. Haar familie geloofde dat iedereen het recht had om zich te uiten, wat er meestal op neer kwam dat iedereen door elkaar heen praatte. Haar kamer was stil en vredig, met lichtgrijze muren, een chocoladebruine sprei, een dik zacht paars vloerkleed en paarse gordijnen. Boven haar ladekast hingen gouden met nepedelstenen versierde letters. DIVA, stond er. Op de ladekast stond een blauwe lavalamp waar Mercedes graag naar keek als ze niet in slaap kon vallen. Maar het enige wat nu nog zou helpen, was zingen. Ze stond voor haar manshoge spiegel en bekeek zichzelf van alle kanten. Ze had een vol figuur, zoals haar moeder het noemde, en Mercedes vond haar rondingen mooi. Meestal. Alle grote African American sterren hadden een lekker stevige kont. Aretha. Ella. Beyoncé. Mercedes bekeek haar kont in de spiegel. Haar kont had sterallures, dat was duidelijk.

'*Only you, you're the only thing I see...*' Mercedes oefende het Glee-lied. Alleen werd ze overstemd door Rachels bazige stem in haar hoofd. Dat was best knap, want Mercedes kon aardig hard zingen. Rachel vond vast dat zij de eerste stem moest hebben. Terwijl dat Mercedes' geboorterecht was. Zoals Rachel de repetitie in haar kleine kleuterpakje verstoord had en iedereen becommentarieerd had alsof ze een expert was. Tijdens het uur dat ze samen zongen had Rachel werkelijk op iedereen kritiek gehad, van hun toon tot hun houding, danspassen en kleren. Wie dacht ze eigenlijk dat ze was?

Mercedes keek op haar beeldscherm naar de tijd. Het was dinsdagavond, de avond waarop ze *American Idol* keek en met Kurt sms'te over de kandidaten, wie er bagger was en wie rockte. Dit was traditie sinds het laatste jaar van *junior high,* nadat ze samen 'I'll be there for you' hadden gezongen bij de diploma-uitreiking. Ze was dol op Kurt. Hij kon zo kattig en kritisch doen en haar zo hard laten lachen dat ze het in haar broek deed. En niemand begreep haar zo goed als Kurt. Mercedes droomde ervan dat een megasuccesvolle platenbaas haar een megaplatendeal zou aanbieden, goed genoeg om weg te komen uit Lima, uit Ohio en haar slome bestaan. Zij kon een ster worden, en Kurt zag het ook.

En nu had Kurt Rachel bij Glee gevraagd. Geloofde hij dan niet dat Mercedes een succes van de groep kon maken? Wat een belediging. Wat een lef, om zomaar, zonder overleg een vreemde erbij te vragen.

Er klonk geklop op de deur van haar kamer. 'Schatje, bezoek!' riep haar moeder.

Mercedes fronste. Zij kreeg nooit bezoek. Ze had niet veel vrienden, en de vrienden die ze had, waren niet het waai-maarbinnensoort. Tina woonde aan de andere kant van het stadje. Bovendien werkte Tina's moeder 's avonds, dus kon Tina helemaal niet weg. Artie deed doordeweeks altijd zijn huiswerk. Goed, er was dus maar één optie over. Ze gooide de deur open.

Het was Kurt. In haar huis, in zijn lichtblauwe buttondown overhemd, extra strakke kasjmier v-hals en marineblauwe kasjmier sokken met gele tenen. Iedereen moest zijn schoenen uitdoen van haar moeder sinds ze vorig jaar in het hele huis kersenhouten vloeren hadden laten leggen. Kurt zag er altijd zo keurig uit dat Mercedes moest lachen om die gele tenen.

Tot ze aan Rachel dacht. 'Mooie sokken,' zei ze en plantte een hand op haar heup terwijl ze hem aanstaarde. Ze wilde dat ze iets anders droeg dan haar slonzige paarse fluwelen joggingpak. 'Heb ik jou uitgenodigd?'

Kurt veegde zijn haar van zijn voorhoofd. 'Leuke foto van jou met Mickey Mouse-oren.' Hij wees naar de fotomuur in de gang. 'Is dat Assepoester bij je op de foto?'

'Doornroosje.' Mercedes schraapte haar keel. 'Ik meen het, Kurt. Als jij hier niet bent omdat je spijt hebt is daar de deur, maar dat weet je al natuurlijk.'

Kurt zuchtte en frunnikte aan de metalen sluitingen van zijn jas. Mercedes vond dat zijn jas leek op een fanfare-uniform, maar Kurt hield vol dat de jas vintage was. 'Mag ik binnenkomen? Er staan hier drie hyena's in mijn nek te hijgen. Ik denk dat ze bloed ruiken.'

'Goed. Kom binnen.' Ze stapte opzij om hem binnen te laten.

'Mooi kleurenschema.' Kurt keek goedkeurend naar haar kamer. Hij was wel eens bij Mercedes langs geweest voor een pizza na een middagje dure kleren passen in Bloomingdale's, maar hij was nog nooit in haar kamer geweest. 'Stijlvol, maar vrolijk, met een vleugje diva-allure. Hij streek met zijn vinger over de lijst van Madonna's foto en maakte een kleine buiging.

'Je excuses?' Mercedes was niet van plan om toe te geven. Kurt moest begrijpen hoe erg het was dat Rachel zo over iedereen heen liep. En over háár.

'Het spijt me als ik je gekwetst heb. Misschien is het niet

leuk om Rachel bij de Glee Club te vragen, maar ik ben het echt zat dat we altijd alleen maar worden uitgelachen.' Hij speelde met de bruine franje van het lampje op Mercedes' nachtkastje. 'We zijn goed, vooral jij. Jij bent gewéldig. Maar het lukt ons niet om er een goed geheel van te maken. En ik voel dat Rachel dat kan.'

Mercedes' wangen gloeiden. Al was het nog zo waar, toch was het lief van hem om te zeggen dat ze geweldig was. 'Geloof jij echt dat het beter gaat als Koningin Kniekous meedoet?' Ze had respect voor Kurts mening, zelfs als ze het er niet mee eens was. Kurt had voorspeld dat Amerika klaar was voor de openlijk homoseksuele Adam Lambert; hij had zelfs de finales van *American Idol* gehaald!

'Ik zweer het.' Kurt keek naar zijn horloge. Hij zonk neer op het bed van Mercedes en veerde zachtjes naar beneden.

'Nou, dan zijn je excuses aanvaard.'

'Waarom hangt die poster daar?' Kurt keek naar een grote poster van een brullende tijger die aan de muur boven haar iMac hing.

Mercedes glimlachte lief. 'Hij herinnert mij eraan dat het daarbuiten een jungle is. Als je niet oppast en voor jezelf vecht, word je opgegeten.'

'Je bent dus een optimist,' zei Kurt, bedachtzaam knikkend. 'Dat had ik nou nooit van je verwacht.'

Mercedes lachte. Ze was gek op Kurt – hij was haar jongen – maar de laatste tijd was ze hem anders gaan zien. Hij had zelfvertrouwen, een sterke mening en hij gaf haar altijd complimentjes. Elke dag had hij wel iets aardigs te zeggen, over haar nieuwe gouden oorringen, of de kleur van haar lipgloss. Misschien...

Voordat ze die gedachte af kon maken vroeg Kurt: 'Heb je zin om een milkshake te halen of zo?' Hij schudde zijn hoofd naar achteren, maar zijn gestileerde haar bewoog niet mee. 'Mijn vader heeft me betrapt terwijl ik naar de smakeloze marathon op *Style Network* keek en daar was hij niet blij mee.'

Mercedes giechelde. Kurts vader had een garage en was het

type man dat voor de lol motoren uit elkaar haalde en geen benul had van zingen, dansen of mode; alle dingen waar Kurt gek op was. 'Hoe ben je ontsnapt?'

Kurt grinnikte en pakte een fotolijstje van haar bureau. Het was de foto van hun optreden bij de diploma-uitreiking van junior high. 'Dat je deze foto aan iedereen laat zien. Ik lijk hier op Macaulay Culkin!' Hij zette de foto weer neer. 'Ik zei dat ik een afspraakje had... met een meisje.' Zijn vader had het zo geweldig gevonden dat Kurt zich schuldig ging voelen dat hij gelogen had. Zijn vader bedoelde het goed. En diep vanbinnen, als hij echt nadacht over al die keren dat Kurt in plaats van autootjes om verkleedkleren en theeserviesjes had gevraagd, wist zijn vader wel dat Kurt niet in meisjes geïnteresseerd was voor iets anders dan om mee te zingen. Maar goed, hij had Kurt de sleutels gegeven van zijn Chevytruck en gezegd dat hij het niet te laat moest maken.

'Ik kan best een milkshake gaan drinken met je,' antwoordde Mercedes. 'Ik kleed me even om.' Ze dacht dat Kurt de kamer uit zou gaan. In plaats daarvan draaide hij zich om en keek naar de knipsels op het prikbord bij de deur.

'Ik vind het tof dat jij al die dingen bewaard hebt,' zei Kurt, en raakte een van de concertkaartjes aan die op het prikbord hingen. Er stonden ook handtekeningen bij.

Mercedes trok haar fluwelen broek uit en glipte in een spijkerbroek. Waarom kon Kurt haar niet even alleen laten? Vond hij haar... leuk? Ineens viel alles op zijn plaats. Onuitgenodigd bij haar thuis komen om zijn excuses aan te bieden? Haar uitnodigen voor een milkshake? Bij haar blijven terwijl ze zich omkleedde? Was er een andere verklaring?

Voor het eerst sinds Rachel Berry haar dag verpest had, voelde Mercedes zich een beetje beter.

Lima Freeze, dinsdagavond

De Lima Freeze was, met de Lima Galleria Cineplex bioscoop, de La Place in het winkelcentrum en de bankjes aan het begin van het wandelpad in MacArthur City Park, een van de weinige plekken waar je naartoe kon gaan in Lima en daardoor ook de meest populaire. Ooit een ijssalon van de Friendly-keten, vervolgens failliet, en inmiddels opgeknapt door een lokaal echtpaar, lag de Freeze aan de Route 17 tussen de binnenstad en de boerderijen aan de rand van de stad. In de binnenstad stonden een paar monumenten in verschillende stadia van verwaarlozing. Onderweg naar de Freeze keek Mercedes uit het raam naar de Wegmans, de lokale supermarkt, een karateschool, een Pizza Hut, het bejaardentehuis, drie banken en een aantal andere bedrijven die er altijd uitzagen alsof ze bijna failliet waren. Kurt had de stereo waar zijn iPod ingeplugd zat hard gezet, en Kanye West bonkte door de auto.

'Ik zou best kunnen leven met die donkere ramen.' Mercedes keek in de spiegel van de zonneklep en deed haar haar. 'Ik voel me een ster.'

'Later, meisje, later.' Kurt sloeg af, het parkeerterrein op. Bijna alle plaatsen waren bezet door busjes of afgeragde Buicks. Gezinnen met gillende kinderen bestelden bij het raampje van de *drive through* of zaten aan de plakkerige picknicktafels op het betonnen terras aan de zijkant. Door de beslagen ramen leek het alsof alle tafels binnen bezet waren.

'Vervloek de massa.' Kurt sloeg zijn vuist op het stuur terwijl hij de auto naast een glanzende BMW parkeerde. 'Ze hebben ons idee gejat.'

Mercedes vond de drukte niet erg. Ze vond het wel leuk als iedereen zou zien dat ze een afspraakje met Kurt had. Ze vond het zelfs leuk om met hem rond te rijden in de gloednieuwe Chevy Suburban van zijn vader. Het voelde goed om zo hoog te zitten en door de getinte ramen naar de straten te kijken in de stad waar ze haar hele leven gewoond had. Het zag er zo een stuk mooier uit. 'Laten we naar binnen gaan. Ik moet suiker hebben.'

In de Lima Freeze stikte het van de mensen. De ramen waren beslagen door de hitte van alle bijeengepakte lichamen. Kurt keek snel of hij een van de footballspelers kon ontdekken die hem altijd lastigvielen, maar hij zag ze nergens. Mazzel. Het was erg om op school geslusht te worden maar het zou nog erger zijn om buiten, in het echte leven, een milkshake in zijn smoel te krijgen. Hij vond het al moeilijk genoeg om aan zijn vader uit te leggen waarom hij zo vaak thuis kwam met blauwe of rode vlekken op zijn shirt.

'Ik wil graag een *Death by Chocolate shake* alsjeblieft,' zei Mercedes tegen de verveelde tiener achter de kassa. 'Extra dik.'

'Een warme caramel sundae. Met slagroom. Vergeet de kers niet.' Kurt keek naar het groepje 'gewone' voetbaljongens rond de tafel in de hoek. Een van hen stond op om water bij te vullen en Kurt keek hoe de spieren in zijn kuiten bij elke stap bewogen.

Terwijl ze rondkeken en tevergeefs een tafel zochten, kwam Finn Hudson binnen met Quinn Fabray aan zijn arm. Ze had de Cheerios-capuchontrui nog aan. 'Barbie en Ken zijn gearriveerd,' kondigde Mercedes aan.

'Mmm.' Kurt bekeek het stelletje en probeerde te negeren dat zijn hart bonkte als hij naar Finn keek. 'Ziet ernaar uit dat Onthouding is afgelopen.'

'Daar gaan mensen weg. Laten we daar gaan zitten.' Mercedes greep Kurt bij de arm en trok hem opzij. Ze staarde naar de drie meisjes aan de tafel, die met hun rietjes de laatste restjes van hun milkshakes naar binnen slurpten. Tijdens de spitsuren was het wie het eerst komt, wie het eerst maalt. Ze moesten snel zijn om een tafel te kunnen bemachtigen.

Finn en Quinn stonden nu vooraan in de rij.

'Ze is leuk, maar heb je ook gezien dat haar oren een beetje puntig zijn, als bij een elf?' fluisterde Kurt in Mercedes' oor. Ze giechelde. Het was haar niet eerder opgevallen, maar nu Kurt het zei kon ze Quinn rond zien rennen met pijl en boog in *Lord of the Rings*.

'Pardon,' mompelde Quinn en ze liet haar tas tegen Kurts rug stoten zodat hij een stap opzij zou doen. Ze vond het gezellig in de Lima Freeze, maar het was zo vaak overbevolkt met losers. 'Finn, ik wil graag een *root beer float,* met yoghurtijs en *light root beer.* Ze streek haar trainingsrokje glad. Ze lette altijd goed op haar calorieën maar ze had goede genen – haar moeder had nog steeds maat 38 – en hard getraind vandaag, dus ze verdiende iets lekkers. Maar ze ging niet helemaal los, dat zou onverantwoord zijn. 'Ik zoek wel een tafel. Die meisjes gaan bijna weg.'

'Het spijt me. Wij wachten al op die tafel.' Kurt gaf het meisje aan de kassa tien dollar.

Quinn keek Kurt aan alsof hij een kakkerlak was. 'Staat jouw naam erop?' Ze draaide op de hielen van haar gympen, haar blonde paardenstaart zwiepte mee. Mercedes en Kurt keken hoe ze naar de tafel paradeerde waar de drie meisjes nog steeds aan hun milkshake zaten. Ze keken Quinn vol bewondering aan. Quinn sprak kort met de meisjes en hopla! Ze propten hun servetten in hun glazen en liepen weg met een lach op hun gezicht.

Quinn gleed op de bank, veegde de tafel af met een servet en wuifde naar Finn. Ze keek expres langs Kurt en Mercedes.

'Zeg me dat ze dat niet deed.' Mercedes veegde een lik ijs van de rand van haar milkshakeglas. Ze keek om zich heen in het overvolle restaurant. Niemand leek ook maar enigszins van plan te zijn om op te staan.

'Het, eh, spijt me.' Finn keek zenuwachtig over zijn schouder naar Quinn, die al achterover leunde op de bank en met de voetbaljongens aan de tafel naast haar kletste. Haar T-shirt kroop omhoog en hij zag een klein stukje van haar zalige platte buik. 'Waren jullie op die tafel aan het wachten?'

Kurt was met stomheid geslagen. Finn. Hudson. Praatte. Met hem. Goed, hij was geen Willy Wortel, maar Kurt was in spiermassa geïnteresseerd, niet in grijze massa. Finn was knap. Hij was de enige jongen in het footballteam die altijd aanbood om Kurts designer jas vast te houden terwijl ze hem in de container dumpten. En zijn haar zat bovendien altijd perfect. Hij had haarscherpe jukbeenderen en zijn bruine ogen leken op de chocolademeren in *Sjakie en de Chocoladefabriek*. Kurt had stiekem gedweept met Finn vanaf het moment dat Puck Puckerman en Jack Kurpatwinski hem in de cafetaria in een vat met vet hadden willen gooien op *fried chicken day* tijdens het eerste jaar. 'Kappen,' had Finn gezegd. En dat deden ze. Hij was net Superman.

'Ja, dat waren we,' antwoordde Mercedes terwijl ze op Kurts voet trapte. Waarom deed Kurt zo raar? Hij hoefde zich echt niet zo aan te stellen, alleen omdat Finn populair was. Hij leek op hun golden retriever die op zijn rug ging liggen zodra er een grotere hond aankwam. 'Onderdaniger kun je niet worden,' zei haar vader. Kurt lag niet op zijn rug maar hij mocht wel een beetje meer ruggengraat laten zien, zeg. 'Maak je geen zorgen. Wij gaan wel staand eten aan de kassa. Wie heeft er nou een tafel nodig?' zei Mercedes met een neplach.

'Goed.' Finn hoorde de ironie niet in haar stem en bestelde twee root beer floats. Terwijl hij wachtte op zijn bestelling keek hij eens rond. Hij draaide zich om naar Kurt en Mercedes. 'Zitten jullie niet in dat zangclubje?'

Mercedes en Kurt keken elkaar aan. Kurt kon nog steeds geen woord uitbrengen. Hoe was het mogelijk dat Finn Hudson iets van hem wist? Mercedes moest antwoorden. 'Klopt.' Ze nam een slok van haar milkshake. 'Waarom wil je dat weten?'

Finn keek naar zijn schoenen. Hij was blij dat het meisje achter de kassa hem twee glazen aangaf. Dan kon hij tenminste naar iets anders kijken. Hij schaamde zich voor het feit dat Rachels optreden hem zo geraakt had na school. 'Ik, eh, zag Rachel. Zingen na school. Ze zei dat jullie gaan zingen. Vrijdag.'

O God, dacht Kurt. Het was zo schattig dat Finn niet in hele zinnen kon praten. 'Vrijdag,' piepte hij.

Finn lachte naar ze. Zelfs Mercedes voelde haar knieën knikken. Het voelde goed dat een populaire, lekkere jock met ze stond te praten alsof ze gewone mensen waren. 'Nou, succes,' zei Finn. 'Ik, eh, moet deze maar snel wegbrengen.'

'Finn.' Quinn smeerde lipgloss op haar mond en smakte een paar keer met haar lippen om de gloss goed te verspreiden. Ze keek hoe Finn de *diet root beer float* neerzette op de tafel. 'Wat deed je daar?'

'Wat? O.' Finn gleed op de bank. Een van de verdedigers liep langs en stak zijn hand op. Finn sloeg ertegen terwijl hij doorliep. 'Ik stond even te praten.' Hij trok het papier van zijn rietje en stak hem in de float.

'Dat zag ik ook wel.' Quinn nam een klein slokje. Had hij wel een light drankje besteld, en yoghurtijs? Het smaakte erg zoet. En Quinn had haar lichaam niet te danken aan dit soort drankjes. 'Waarom geef je ze ook maar een seconde aandacht? Je moet je niet verlagen, het zijn onderkruipsels.'

Finn slurpte aan zijn drankje. Quinn kon zo... hard zijn. 'Ik was gewoon vriendelijk.'

'Ze zijn je helemaal niet waard.' Quinn nam nog een slokje en duwde haar drankje van zich af. Ze kon haar taille gewoon voelen groeien. Ze was ervan overtuigd dat Finn het verkeerde besteld had omdat hij het te druk had gehad met kletsen met die homo en dat meisje dat ver weg moest blijven van dikmakende milkshakes. 'Een paar Cheerios hebben een grap bedacht voor de muziekvoorstelling vrijdag. Iets wat die Rachel echt helemaal voor gek zet.'

'Wat?' Finn stikte bijna in zijn drankje. 'Waarom?' Was het omdat Finn in de aula met Rachel had gepraat? Quinn kon toch niet zien dat hij Rachel lekker vond? Ineens dacht Finn aan die enge oude film met die gekke vriendin die het konijn van het dochtertje van haar minnaar in een pan water gooit.

'Serieus?' Quinn tikte met haar lepel op de plakkerige tafel. 'Hoe die trut vanmorgen tijdens de mededelingen over ons stemhokje zat te zeiken. Te erg gewoon. De hele school luisterde ernaar!' Ze smakte weer met haar lippen. 'Daar moet ze voor gestraft worden.'

'Ik weet het niet.' Finn veegde zijn mond af aan zijn arm. 'Je moet het niet zo opblazen. Ze gaf gewoon haar mening. Toch?'

'Met welk recht?' Quinn deed haar armen over elkaar. 'Wat zou er gebeuren als we haar niet zouden terugpakken? Als alle losers zo over ons konden praten brak de sociale revolutie uit.' Quinn zag dat Finn niet overtuigd was. Ze beet op haar lip. Ze raakte hem kwijt en hij was nog niet eens van haar. Het was vast makkelijker om Puck aan haar kant te krijgen. Die had alles voor haar gedaan wat ze maar vroeg zonder dat ze erom hoefde te smeken.

Maar ze wilde Finn alleen als hij vol voor haar ging. En van haar was. Ze moest kunnen rekenen op zijn volledige samenwerking in hun relatie, anders zouden ze nooit het populairste stel van de school zijn. Ze reikte over de tafel en legde haar hand op Finns hand. Hij liet zijn lepel vallen, maar ze haalde haar hand niet weg. 'Een paar footballspelers doen mee. Ze knipperde met haar lange wimpers en keek hem aan. 'Doe je mee? Of niet?

Finn staarde naar haar perfecte roze nagels. Ze waren zo glad en recht. Hij stelde zich voor hoe haar perfecte handen op zijn schouders zouden liggen als hij met haar danste op het homecoming-feest. Als hij met Quinn naar het feest wilde gaan moest hij hier geen ruzie om gaan maken. Hij vond niet dat Rachel nou zo slecht was. Ook al had ze een beetje maf geklonken op de intercom, ze had toch gelijk? En zelfs als ze geen gelijk had, verdiende ze het niet om vernederd te worden. Ze was best wel leuk.

Quinn tikte met haar vingers op zijn hand in afwachting van zijn reactie. Hij kende haar nog niet zo goed, maar had al wel door dat zij meestal haar zin kreeg. Als Finn niet gaf waar ze om vroeg, stonden er zat andere jongens in de rij achter hem.

'Goed,' hoorde hij zichzelf zeggen. Zijn stem klonk niet alsof die bij hem hoorde. 'Wat moet ik doen?'

Muzieklokaal, woensdagochtend

Die woensdagochtend had Rachel geëist dat ze toestemming kregen om te oefenen in het muzieklokaal tijdens het keuze-uur. Ze hadden net een half uur rond de piano 'Tonight' geoefend en de dansroutine geprobeerd die Rachel de avond ervoor op *storyboards* had uitgetekend terwijl ze naar *West Side Story* keek voor inspiratie. Ze hadden de routine een stuk of zes keer geoefend voordat Artie zijn rolstoel naar de zijkant van het lokaal reed.

'Wat doe je?' vroeg Rachel bars. Ondanks haar witte buttondown met pofmouwtjes en de wollen kabeltrui sprong ze met de energie van een balletdanseres, of een Cheerio tijdens een van Coach Sylvesters beruchte 'afmaaksessies'. 'We moeten het voetenwerk nog verbeteren, Artie.'

'Je wil niet zien wat er gebeurt als ik uitgedroogd raak.' Artie trok een waterfles uit zijn rugzak en nam een flinke teug. 'Dat ziet er niet uit.'

'We zijn allemaal moe. Ik wil even stoppen, net als Artie,' bekende Mercedes. Ze plofte neer op een van de stoelen. 'Mijn botten kraken zowat. Ik heb nog nooit zo hard gewerkt!'

'Zelfs ik begin te zweten.' Kurt voelde zijn voorhoofd met de achterkant van zijn hand. 'En dat trek ik echt niet.' Hij wuifde met een folder voor zijn voorhoofd.

'J-j-ja Rachel,' zei Tina. 'We zijn moe. En ik moet mijn huiswerk nog afmaken.'

Rachel balde haar vuisten. Dit was zo frustrerend! Ze hadden nog twee dagen. Twee dagen om de routine te perfectioneren en dat had nogal wat voeten in de aarde. Ze waren goed, maar niet geweldig. Als ze vrijdag op iedereen indruk wilden maken was er echt geen tijd voor de luxe van een drinkpauze. Ze had gehoord dat Madonna achttien uur achter elkaar kon trainen zonder plaspauze wanneer ze repeteerde voor een tournee.

Oké, Artie zat in een rolstoel en dat gaf hem misschien wel recht op een pauze. Maar was het echt teveel gevraagd van de mensen die wel konden lopen om wat harder te werken? Rachel, je kunt niet alles winnen, dacht ze. Ze zuchtte en ging op de pianokruk zitten. 'Vijf minuten.'

Mercedes leunde achterover in haar stoel. '*I don't want to go to practice, I said, no, no, no,*' improviseerde ze. Iedereen behalve Rachel schoot in de lach.

'Hebben jullie Lady Gaga's clip voor "Let's Dance?" gezien? Echt te gek.' Tina nam een slokje Coca-Cola light.

'Zij is ultra *Eurotrash* in die clip. Hij lijkt op een commercial voor American Apparel.' Kurt was gek op American Apparel maar de dichtstbijzijnde winkel was in Dayton, een uur rijden van Lima. Hij ging er één keer per maand naartoe om zijn voorraad bij te vullen met strakke T-shirts, lange vesten en alles wat turkoois was.

'*I've had a little bit too much, much. All of the people start to rush, start to rush by,*' zong Tina. Haar Mary Janes met plateauzolen gleden over de linoleum tegels. Haar rood-met-zwartgeruite rokje danste om haar heen terwijl ze bewoog. Er zaten minstens vijf gigantische spelden in om het rokje bij elkaar te houden.

'Damn, Tina.' Mercedes begon mee te neuriën als back-up. 'Jij hebt een Lady Gaga-dag vandaag.'

'*What's going on, on the floor? I love this record, baby, but I can't see straight anymore.*'

'Tina, wat heb je nog meer voor ons geheim gehouden?' Kurt trok zijn wenkbrauwen op en keek bewonderend naar Tina.

Rachel draaide met haar ogen. Tuurlijk was het fijn dat Tina uit haar schulp was gekropen. Misschien kreeg ze nu eindelijk genoeg zelfvertrouwen om van dat gestotter af te komen. Maar dat betekende niet dat Rachel erop zat te wachten dat Tina de show zou stelen.

'Doe maar zuinig met die *moves*,' zei Rachel. 'Je moet wat overhouden voor volgende week vrijdag.'

De groep keek elkaar aan. 'Wat is er volgende week vrijdag?' zei Artie argwanend.

'Gewoon, het homecoming-feest?' Rachel sperde haar ogen maximaal open. 'We kunnen onze geweldige prestatie van deze vrijdag meteen volgende week op het feest vieren.'

'Hoe gaat dat lukken als we er zelf niet z-z-zijn?' Tina plofte neer in een stoel en nam een gigateug water. Rachel zuchtte van opluchting. Ze was het niet met Andy Warhol eens dat iedereen recht had op vijftien minuten beroemdheid. Veel te egalitair. Ze zag liever dat beroemdheid de beloning van talent was.

'Gaan jullie niet?' Rachel had altijd gedroomd van de feesten op high school. Als kind had ze een kast vol verkleedkleren en transformeerde ze de eetkamer tot een danszaal met behulp van haar vaders.

'*No way*,' zei Mercedes en ze staarde naar de piano. Ze had best willen gaan, maar alleen met Kurt en die had haar allang gevraagd als hij van plan was geweest om naar het feest te gaan. Ze keek naar Kurt. Hij was zijn haar aan het doen.

'Ik ben niet geschapen voor drukke dansfeesten.' Artie rolde achteruit. Hij wilde alleen met Tina naar het feest, maar het was vast gênant voor haar om als enige met een jongen in een rolstoel uit te gaan.

'Ik kan n-n-niet tegen menigtes.' Tina frunnikte aan het leren armbandje om haar pols.

'Gaat echt niemand?' Rachel kon het niet geloven. 'Het homecoming-feest is een van de pilaren waar jullie high school-carrière op rust. Kurt?'

'Ik heb het overwogen.' Kurt raakte zijn haar aan. Hij had zijn lievelingsshirt van Marc Jacobs aan, en de enige spijkerbroek die hij wilde dragen: zijn Rock & Republic skinny jeans met de donkere wassing. 'Ik heb net een nieuw Tom Ford-pak gekocht op eBay. Het zou de perfecte gelegenheid zijn voor dat pak.'

Rachel klapte in haar handen. 'Ja! Kom, laten we allemaal gaan.' Ze vond het verontrustend dat Kurt zoveel van mode afwist.

'Ik zei alleen dat ik het heb overwogen.' Kurt keek Rachel aan. Moest ze altijd zo hyper zijn? 'Maar ik heb geen zin in de populaire leerlingen. Die zijn er allemaal, waarschijnlijk dronken en klaar om te pesten.' Hij streek zijn t-shirt glad. 'Het is een heel mooi pak. Ik weet niet of ik het kan riskeren.'

'Jullie moeten je schamen, allemaal!' Rachel sloeg met haar hand op de piano. Ze was net zo boos als die dag dat ze de Cheerios geld had zien vragen voor de verkiezingen. 'Waarom zouden alleen de jocks mogen genieten van alles wat McKinley High te bieden heeft? Ze krijgen met hun clubs en sporten al bijna al het geld dat de school voor activiteiten heeft en ze mogen ongestraft slushen. We moeten weerstand bieden, anders pakken ze alles af.'

Artie deed zijn das recht. 'Omdat zij de mooie mensen zijn.' Hoewel hij vond dat Tina het mooiste meisje van de school was. De blauwe highlights die zij een paar weken geleden in haar haar geverfd had leken net op linten in haar lange, glanzende lokken. Zelfs haar make-up was geweldig: van die knalroze en knalblauwe suikerspinkleuren. En ze was lief, wat onbetaalbaar was. 'Mooie mensen komen overal mee weg. Dat is een historisch feit.'

Rachel gooide haar armen in de lucht. 'Dat betekent niet dat het goed is!' Ze draaide zich om naar Tina. Ze voelde dat Tina haar misschien wel zou steunen. 'Tina, je kunt fantastisch dansen.' Ze bekeek Tina's kleren. 'Lijkt het je niet geweldig om een mooi zwart jurkje aan te trekken en op de dansvloer te gaan staan, zodat iedereen kan zien hoe het echt moet?'

Tina schudde haar hoofd. 'E-e-cht niet.' Ze keek naar de grond. 'Ik kan v-v-voor jullie dansen, maar niet voor de hele school. Iemand zou me toch wel laten struikelen.'

'Kom op.' Rachel stapte naar achteren. Dit was te erg. 'We móeten gaan. We moeten iedereen laten zien dat we niet met ons laten sollen en dat het ons geen reet kan schelen wat ze van ons zeggen.' Vorig jaar was Rachel niet naar het Onderwater-slotfeest gegaan. Ze deed alsof ze het te druk had met MySpace om naar het feest te kunnen gaan, maar had zich eigenlijk te veel geschaamd na het mislukte fiasco van de Klassenpresidents-verkiezingen om al die lachende gezichten op het feest aan te kunnen. Dit jaar zou dat haar niet nog een keer overkomen. Ze wilde naar het feest, met of zonder afspraakje.

Kurt zuchtte. Rachels een-betere-wereld-begint-bij-jezelfmentaliteit was bewonderenswaardig, en erg vermoeiend. 'Dat is allemaal leuk en aardig in theorie, maar niet in de praktijk. We worden wél door de hele school gepest en iedereen wordt wél beïnvloed door wat de mooie mensen denken.'

'Ik ben het met Kurt eens.' Mercedes leek verdrietig. 'Waarom zouden we nog meer aandacht op ons willen vestigen? Ik ben niet bepaald onopvallend. Een van de tien zwarte leerlingen op school, en niet bepaald een spriet.'

Artie en Tina knikten. Rachel had zin om te huilen van woede. Ze weigerde te geloven dat ze niet voor zichzelf wilden opkomen. Hadden zij dan nog nooit een Broadway-musical gezien? Wisten ze dan niet dat je nooit moest opgeven? Altijd moest blijven vechten? Heel frustrerend. Ze kon voelen dat ze allemaal *wilden* gaan. Het verlangen was op ieder gezicht te zien, maar ze waren gewoon te bang. En waarom? Omdat sommige populaire leerlingen ze voor lul gingen zetten?

Rachel keek naar de klok boven de deur en verlangde naar de bel. Ze kreeg het ineens stikbenauwd. Als de Glee-kids zo verlegen waren moest ze misschien een andere strategie overwegen.

Tijd voor plan B.

Mevrouw Pillsbury's decanenkantoortje, later die woensdag

Mevrouw Pillsbury was pas anderhalf jaar decaan op McKinley High. Ze was een stuk geliefder dan mevrouw Delzer, de vorige decaan. Die had gedwongen ontslag moeten nemen nadat een militaire recruiter had bekend dat hij haar omkocht om sportieve leerlingen te overtuigen om bij het leger te gaan. Ze was naar een andere staat verhuisd voordat de staat Ohio haar had kunnen aanklagen. Mevrouw Pillsbury was jong, had oranjerood haar in een frisse bob, en liep niet door de gangen van de school met de uitgebluste bik in haar ogen die de meeste docenten na een paar jaar kregen. Met haar grote open leek ze op een schattig cartoonpoppetje.

'Rachel, waarmee kan ik je van dienst zijn?' Mevrouw Pillsbury glimlachte lief naar haar en legde haar handen rustig over elkaar op het angstaanjagend nette bureau. Achter haar zweefde een screensaver met allerlei inspirerende zinnen over het computerscherm. JE KUNT HET, las Rachel. En MAAK JE DROMEN WAAR en DE TOEKOMST LIGT IN JOUW HANDEN. Rachel keek weg. In de hoek van de kamer stond een grote kamerlinde in een pot. De bladeren strekten zich uit naar de zon. De boekenplanken stonden vol studiegidsen en catalogi van universiteiten, maar Rachel vermoedde dat de meeste nog nooit waren aangeraakt. De leerlingen van McKinley High waren niet erg ambitieus.

Rachel veegde haar voeten aan de WELKOM-mat die achter de drempel van het kantoortje lag. Ook al waren ze al binnen. Rachel had gehoord dat mevrouw Pillsbury niet tegen vuil kon. 'Ik heb dringend behoefte aan advies.'

'Je bent hier aan het juiste adres.' In haar flessengroene blouse met een grote strik op haar kraag zag mevrouw

Pillsbury eruit als een verdwaalde padvindster. 'Ga zitten.'

Rachel keek over haar schouder terwijl ze ging zitten op het met nepleer beklede stoeltje tegenover mevrouw Pillsbury's bureau. Je kon de gang zien door een raam in de wand van het kantoortje en Rachel had de hele tijd het rare gevoel dat iemand achter haar rug voor het raam een vis stond na te doen met zijn lippen. 'Ik denk dat ik mijn top bereikt heb op McKinley High.'

Mevrouw Pillsbury knipperde met haar ogen. Haar stem was kalmerend als een glas warme melk met honing. 'Oké, Rachel. Kun je uitleggen waarom je dat denkt? Word je niet uitgedaagd?'

'Ik heb online scholen voor muziek en dans gezien, zoals in *Fame*, en ik denk dat zo'n school beter bij mij zou passen.' Ze zag het helemaal voor zich: een rooster van stemtrainingen, aerobics, tapdansen, toneelles, lunch.

Mevrouw Pillsbury keek nietszeggend en knikte. De meeste leerlingen met wie zij praatte, hadden totaal geen ambitie. Het kwam maar heel af en toe voor dat een talentvolle leerling bij haar kwam met de angst dat McKinley High niet genoeg uitdaging bood. Bovendien was Rachel Berry een geval apart. Je vond haar geweldig of je haatte haar – bij Rachel was er geen middenweg. Ze haalde goede cijfers en deed enthousiast mee in de les, maar ze was ook een beetje agressief. 'Heb je het gevoel dat je er niet bij hoort en vind je dat moeilijk?'

'Wat? Nee.' Rachel stak haar neus in de lucht. 'Ik bedoel, het kan me niet schelen of ik erbij hoor of niet. Daarom zit ik hier niet.'

Mevrouw Pillsbury knikte langzaam. Ze zag Rachel nooit met andere leerlingen praten of bij een groepje zitten in de kantine. Niet dat ze dat nou zo vreemd vond – de kantine was een van de smerigste plekken in de hele school. Er zaten in een doorsnee huis meer bacteriën op het aanrecht dan op een wc-bril, en mevrouw Pillsbury wilde wedden dat het aanrecht in de schoolkantine niet bepaald smetteloos was. Ineens voelde ze zich wat flauwtjes worden. Snel spoot ze wat vloeibare bacteriedodende handgel op haar hand. Ze rook de geur van citrusvruchten en dat kalmeerde haar. 'Wat is er dan precies?' Ze was gewend om leerlingen allerlei vragen te stellen. Zo konden ze erachter komen wat ze wilden met hun leven en waarom ze bij haar zaten.

Rachel haalde diep adem en staarde naar het rekje met zelf-hulpbrochures achter het bureau. Mevrouw Pillsbury leek helemaal niet naar haar aan het luisteren. Dat vond ze niet zo'n goede eigenschap voor een decaan. Rachel keek haar rustig aan. 'Iemand van mijn kaliber zou toch moeten worden opgeleid door docenten van hetzelfde kaliber die mij nog beter kunnen maken dan ik al ben.'

Mevrouw Pillsbury masseerde haar slapen met de punten van haar glanzend gelakte nagels. Ze probeerde zich ervan te overtuigen dat haar werk juist een stuk makkelijker zou zijn als iedereen zo ambitieus was. 'Je hebt een punt, ja.'

'Echt? Vind u dat?' glimlachte Rachel.

Mevrouw Pillsbury had gehoord dat Rachel Berry nogal eens kon overdrijven. Ze probeerde meelevend te kijken. 'Rachel, ik weet dat je een veelbelovend meisje bent. Ik heb je horen zingen tijdens de mededelingen en ik vond het heerlijk om naar je te luisteren.' Wat waar was, ook al had ze deze ochtend even niet naar Rachel geluisterd omdat ze aan al die bacteriën moest denken die op microfoons zaten door alle mensen die hem gebruikten. Het waren ongetwijfeld broei-nesten van allerlei nare ziektes.

'Dank u wel.' Rachel knikte. Ze voelde mevrouw Pillsbury's terughoudendheid. Moest ze als decaan niet juist proberen om alles te doen wat nodig was voor haar leerlingen?

'Ik kan best wat meer informatie voor je zoeken over scholen voor muziek en dans. Maar weet je zeker dat je alle creatieve uitdagingen hebt geprobeerd die McKinley High te bieden heeft? Er is een jazzband en straks is er ook nog de schoolmusical waar je aan mee kunt doen. Oh, en Glee Club. Ze keek over Rachels schouder naar de glazen muur en zag een duimafdruk op het glas. Ze bedwong de neiging om de Glassex te pakken. 'Ik hoor dat ze nieuwe leden zoeken.'

Rachel liet zich weer in haar stoel vallen. 'Ik ken de Glee Club. Ze hebben me gevraagd om lid te worden en ze te helpen, dus dat heb ik gedaan.' Ze haalde haar schouders op. Haar zachtroze polo was die dag nog niet door een slushie geraakt en ze hoopte het eens een keer droog te kunnen houden. 'Maar ze nemen het helemaal niet serieus genoeg. En meneer Ryerson is 's werelds meest afwezige zangcoach. Hij is er niet eens bij als we repeteren!'

'Hoe lang ben je al lid van de club?'

Rachel verstijfde. 'Sinds maandag.' Ze maakte zich klaar voor de aanval.

Mevrouw Pillsbury knikte, alsof dat redelijk klonk. 'Weet je, misschien ben jij precies wat ze nodig hebben. Misschien kun jij ze leren om het serieuzer te nemen.' Ze zag Will Schuester in de gang. Hij gaf een blaadje terug aan een meisje dat hem vervolgens vernietigend aankeek. 'Waarom kijk je het niet een paar weken aan? Het is erg vroeg in het schooljaar om zulke grote beslissingen te maken over je leven. Wacht maar even af.'

'Ik heb gewoon het gevoel dat ik mijn tijd aan het verspillen ben. Ik blijf niet altijd zo jong en kneedbaar. Nu kan ik nog zoveel leren.'

'Ik weet het.' Will Schuester stond nog steeds met het meisje te praten. Mevrouw Pillsbury hoopte dat ze het zo kon timen dat ze net haar kantoor uit zou lopen als hij uitgepraat was zodat ze samen naar de docentenkamer konden lopen. Ze pakte alvast haar Tupperware-doosje met drie-keer-gewassen wortelschijfjes en sla dat klaarstond op de hoek van haar bureau, en stond op. 'De school heeft best veel te bieden, en een leerling met jouw talenten heeft veel te bieden. En hier val je extra op.'

'U hebt gelijk. Denk ik.' Rachel stond ook op. De belangrijkste reden om niet naar een school voor muziek en dans te gaan was dat ze daar achteraan aan zou sluiten in een lange rij talentvolle leerlingen terwijl ze hier zo ongeveer een kilometer boven iedereen uitstak. 'Ik hou het nog even vol met

Glee. Misschien kan ik de groep oppeppen om beter te worden. Bedankt voor uw steun.'

'Ik sta altijd voor je klaar.' Mevrouw Pillsbury hoopte dat Rachel dat niet te letterlijk nam. Ze had het idee dat Rachel haar als therapeut zou gebruiken als ze de kans kreeg. Ze liep met Rachel naar de deur en pakte haar jas en tas van de kapstok. 'Succes met Glee.'

Rachel liep opgelucht het kantoor uit. Ze voelde zich stukken beter. Totdat ze de grote banner zag die voor de prijzenkast hing. De woorden MUZIEKVOORSTELLING HET REGENT MUZIEKNOTEN DEZE VRIJDAG! waren doorgestreept en erboven stond nu LOSERVOORSTELLING HET REGENT SCHIJT DEZE VRIJDAG! Langslopende leerlingen stootten elkaar aan en schoten in de lach, en Rachel voelde dat haar wangen gloeiden van woede. Zij mocht dan goed zijn voor McKinley High, maar McKinley High was zeker niet goed voor haar.

'Mevrouw Pillsbury? Ik wil eigenlijk toch die informatie over scholen voor muziek en dans hebben. Het is zonde om die mogelijkheid niet uit te zoeken.' Rachel stormde weg naar haar kluisje.

'Wat is er aan de hand? Meneer Schuester keek het verdrietige meisje na. Ze kwam hem vaag bekend voor. Hij had zo-even aan een tweedejaars uitgelegd waarom ze was gezakt voor haar toets en had het staartje van het gesprek met mevrouw Pillsbury nog net opgevangen. 'Wil er iemand naar een school voor muziek en dans?'

Mevrouw Pillsbury deed haar kantoor op slot. Ook al vonden de meeste leerlingen haar of tof, of onbelangrijk, ze was altijd bang dat iemand haar kantoor in zou glippen, als ze weg was, om iets smerigs te doen op haar tapijt. 'Ja. Ken je Rachel Berry?' fluisterde ze tegen Will. In principe besprak ze geen leerlingen met collega's, maar Will telde niet mee. Will was haar lunchvriendje.

'Ja, die zat vorig jaar bij mij in de klas. Ze zingt bij de mededelingen, toch?'

'Precies.' Ze ontdekte plotseling de besmeurde banner en

schudde haar hoofd. 'Ik moet de conciërge bellen om die banner weg te halen.' Ze kon er niet eens naar kijken.

'Wil Rachel echt naar een andere school met betere muzieklessen?' Meneer Schuester hing zijn leren koerierstas aan z'n schouder. 'Zonde. Ze kan echt zingen.'

Ze liepen door de lege gangen naar de docentenkamer. 'Het is zonde.' Mevrouw Pillsbury keek naar de prijzenkast. 'McKinley had toch ooit een glorieus Glee-tijdperk?'

'Precies. Zie je die prijzen? Toen ik hier op school zat wonnen we elk jaar de lokale wedstrijden, en zelfs een keer de regionale wedstrijd.' Hij keek naar het bronzen beeld van een zanger voor een microfoon. 'Er waren toen zoveel leerlingen die mee wilden doen dat we een reservelijst hadden, en zelfs een tweede reservelijst.' Hij keek opzij naar mevrouw Pillsbury. 'Wij waren hier koning. Ik wilde dat je ons toen gezien had.'

'Ik ook,' zei mevrouw Pillsbury. Ze vroeg zich af hoe Will eruitzag op de middelbare school. Hij was vast alleen wat dunner, met dezelfde bos krullen.

Meneer Schuester keek naar een Cheerios-prijs naast de Glee-prijzen. Een, twee, tien, vijftien Cheerios-prijzen, allemaal van bronzen meisjes met pompons in de lucht. Er was niks mis met fysieke bekwaamheid, dacht meneer Schuester. Alleen was deze school vroeger in allerlei soorten talenten geïnteresseerd, en niet alleen in de sportieve. Het was lang geleden dat iemand met een goede stem hier net zo bewonderd werd als iemand die een football kon gooien, een homerun kon slaan of een dubbele salto kon springen.

Het brak zijn hart een beetje.

Gang van McKinley High, donderdagmorgen

'Mag ik je huiswerk voor Engels overschrijven? Ik ben het vergeten te maken.' Brittany deed een paardenstaart in haar lange blonde haar terwijl ze met Santana en Quinn door de school liep. In haar Cheerios-uniform leken haar lange slanke benen nog langer.

'Brit, de opdracht was een opstel over "Wat ik deze zomer gedaan heb".' Santana haalde lipgloss uit haar tasje en smeerde een beetje op haar lippen. 'Ik denk dat meneer Horn wel weet dat je niet in Nicaragua bij je oma Maria hebt gelogeerd.'

'Chips.' Brittany keep bezorgd. 'Quinn, wat heb jij deze zomer gedaan?'

Quinn zuchtte. Brittany en Santana waren officieel haar beste vriendinnen. Toch verbaasde het haar nog iedere dag dat Brittany op dezelfde school als zij zat ondanks haar IQ van 40. Ze zou het heerlijk vinden door de school met haar vriendinnen te kunnen wandelen zonder Brittany's debiele vragen aan te hoeven horen. Iedereen kende de drie meisjes. En iedereen staarde ze altijd aan – het goede, jaloerse soort staren, niet het er-zit-iets-tussen-je-tandensoort.

Terwijl ze een slim antwoord bedacht voor Brittany voelde ze haar tas vibreren. Ze grabbelde snel naar haar iPhone, een terug-naar-school-cadeau van haar liefhebbende papa. Ze had een berichtje. Ze herkende het telefoonnummer niet, maar ze herkende de afzender zodra ze het bericht las. Ze kon Pucks uitdagende geflirt bijna hardop horen.

Laat je vriendinnetjes ff alleen + kom nr bezemkast v. conciërge bij bieb. Is niet ondr tribunes, mr moet je zien.

Quinns hart ging zo tekeer dat ze bang was dat Santana en Brittany het doorhadden. Ook al waren ze haar hartsvriendinnen, ze mochten het ab-so-luut nooit te weten komen van haar en Puck. Waarom Santana het niet mocht weten was duidelijk: ze was al jaloers genoeg op Quinn en zou het helemaal niet grappig vinden om erachter te komen dat Quinn afspraakjes had met een jongen waar zij zelf haar zinnen op had gezet. Dat werd geheid ruzie. En Brittany was gewoon te dom om een geheimpje te bewaren. Ze bedoelde het goed, maar haar hersencellen waren gewoon te zwak. 'Van Finn,' loog Quinn. 'Wat een schatje.'

'Ohhhh,' riepen Brittany en Santana in koor. Een groepje eerstejaars meisjes sprong opzij om ze door te laten. Een van de voordelen van Cheerio zijn was dat iedereen voor je opzij ging, zodat je overal midden op de gang kon lopen. 'Dat is zo lief.'

'Jullie zijn echt het perfecte stel.' Santana hield een hand omhoog om een Cheerio een high five te geven terwijl die langsliep. 'Ongelofelijk dat het zo lang heeft geduurd voordat jullie uit gingen.'

'Zoals Assepoester en haar kroonprins,' glimlachte Brittany zoet.

'Droomprins bedoel je,' zei Santana.

Quinn wilde weer zuchten, maar hield zich in. (Haar moeder zei altijd dat je een onderkin kreeg van zuchten.) Iedereen vond hetzelfde, alsof zij en Finn alleen voor elkaar geschapen waren. Ze wist niet zeker of ze dat wel geloofde. En het was ook helemaal niet romantisch als het zo voorspelbaar was.

Het was niet zoals met Puck, met wie ze duidelijk niet iets moest krijgen. Hij was echt zó fout! Iedereen wist dat hij het deze zomer met tig MILFS gedaan had terwijl hij zogenaamd hun zwembad schoonmaakte. En ze dacht niet dat hij de Onthoudingsclub, waar hij vorige week ineens bij was, zo serieus nam.

Wat hem alleen maar spannender maakte.

'Er zijn belachelijk weinig leuke beschikbare jongens op deze godvergeten school. Ik weet ook niet waarom ik er zo lang over heb gedaan.' Quinn probeerde haar telefoon in haar tas te stoppen zonder een berichtje terug te sturen.

'Puck is lekker. En die gast bij wiskunde, je-weet-wel, die altijd voor de klas zit met die truien aan.'

'Dat is meneer DeWitt,' Santana fronste naar Brittany. 'De docent? Weet je wel?'

Quinn gaf het op. Ze keek voor de laatste keer naar Pucks bericht en typte:

Kan je nt zien. Heb les.

Haar duim pauzeerde.

Wat wij deden mag nt mr gebeuren.

De meisjes liepen langs een lokaal waar het raam openstond en de geur van versgemaaid gras kwam naar binnen, Quinn meevoerend naar die middag, onder de tribune. Ze moest echt kappen met Puck om een eind te maken aan haar obsessie.

Meteen trilde haar iPhone weer.

Ik wil all1 praten. Ajb

Ze viel voor 'alsjeblieft'. Het zou gewoon oneerlijk van haar zijn om nee tegen Puck te zeggen als hij zelf zo redelijk deed. Hij wilde alleen maar met haar praten. Dat was toch niet zo erg? Ze zouden in de bezemkast van de conciërge staan en samen besluiten dat ze niet aan elkaar mochten zitten, ook al was de aantrekkingskracht nog zo groot. Het was gewoon geen goed idee om het te doen. Daarna zou Quinn aan zichzelf toegeven dat ze was bezweken in een moment van morele zwakte waardoor ze even de weg kwijt was en ze zou God vragen om haar te vergeven voor haar tijdelijke onkuisheid.

Goed, typte ze, en gooide de telefoon in haar tas.

'Ik ben vergeten een boek naar de bieb terug te brengen.' Het was een regelrechte leugen waar je niet in zou trappen als je Quinn kende, maar Santana en Brittany letten niet op. Ze hadden ruzie over waar meer calorieën in zaten: een stengel bleekselderij of een wortel, en ze knikten vaagjes naar Quinn. 'En ik moet naar de wc. Wacht maar niet op me.'

'Oké. Zie je in de les!' Santana zwaaide over haar schouder naar Quinn die zich omdraaide om de trap naar de bibliotheek te op te lopen.

Terwijl Quinn de trap op liep probeerde ze haar gedachten

op een rijtje te krijgen. Ze ging Puck de waarheid vertellen – of een deel daarvan. Ze ging vertellen dat ze hem leuk vond maar dat ze geen stel konden worden. Ze ging niet vertellen dat haar knieën knikten als ze dacht aan hoe hij haar hals aanraakte toen ze zoenden, of dat ze nu de hele tijd aan hem moest denken als ze gras rook.

De gang op de eerste verdieping was bijna leeg. De lessen waren bijna begonnen. Quinn keek naar de bibliotheek en wilde dat ze echt een boek terug moest brengen. Dan had ze niet gelogen. De waarheid achterhaalde je altijd, wat je ook deed. Ze zag de kast; de donkergroene ongenummerde deur was bijna onzichtbaar verstopt tussen de betegelde muren van de gang. De kast was naast de meisjeswc's. Als iemand haar zag dacht die vast dat ze zich even ging opfrissen. Quinn haalde diep adem en voelde zich precies zoals ze zich voelde als ze boven op de levende piramide van Cheerios stond: op de dunne lijn tussen succes en verdoemenis.

Ze deed de deur open.

Bezemkast, donderdagmorgen

Puck leunde tegen de muur van de donkere bezemkast en wachtte op Quinn. Hij duwde zijn telefoon open en keek hoe laat het was. Heel even was hij bang dat ze niet kwam. Wat als ze gelogen had? Dat ze alleen maar gezegd had dat ze kwam om van hem af te zijn en nu in de Engelse les met Santana en Brittany lachte om hem, Puck, de sukkel die deed alsof hij een player was en ondertussen verliefd was op Quinn. Daar stond hij dan te wachten in een donkere bezemkast de hij alleen maar ontdekt had omdat ze hier een keer een eerstejaars hadden opgesloten. Te wachten en te blozen.

Toen gebeurde er iets wonderlijks. De deur ging open en Quinn glipte naar binnen. 'Waarom is het licht niet aan?' Ze tastte de muur bij de deur af, op zoek naar de lichtknop.

Meteen had Puck zijn zelfvertrouwen weer terug. Als Quinn Fabray, oprichter en voorzitter van de Onthoudingsclub, hem wilde ontmoeten in een donkere bezemkast deed hij iets heel erg goed. 'Je wil toch niet gezien worden?' Hij pakte Quinns hand en hield hem vast.

Quinn bleef stil en liet haar ogen wennen aan het duister. Dit was meteen al geen goed begin. Haar kerk – de *Kingdom of His Faith Fellowship* – had een keer een spookhuis en hooifeest gesponsord bij Old Miller's boerderij. Het spookhuis bestond uit een lange tunnel van zwart plastic dat heen en weer waaide in de wind. Je moest om de beurt in je eentje door die tunnel lopen, in het pikkedonker, met enge muziek om je heen. Af en toe sprong er iemand in een laken op je af. Het was de engste sensatie ter wereld geweest: om geen hand voor ogen te kunnen zien. De eerste keer dat iemand op haar afsprong had Quinn bijna in haar broek geplast.

Maar dit, dit was nog enger. Ze schudde Pucks warme hand van zich af. De kast rook naar bleek en naar Puck. Hij droeg geen aftershave – Finn deed dat wel – en daardoor rook hij naar deodorant en naar zwoele mannelijkheid.

'Ik wist dat je zou komen,' zei Puck plagend en hij kwam dichterbij. Ze deed een paar stappen naar achteren totdat ze met haar rug tegen de deur stond. Ze kon zijn gezicht amper zien in het donker. Toch voelde ze dat hij bijna tegen haar aan stond. Shit. Ze vergat wat ze wilde zeggen en haar hart bonkte in haar keel.

'En hoe wist je dat ik zou komen?' wilde Quinn vragen, maar voordat ze haar zin kon afmaken raakten Pucks lippen de hare, eerst teder, en toen met meer kracht. Ze kon er niets aan doen, ze moest terugzoenen. Hij smaakte naar chocola. Quinn dacht aan de *double chocolate fudge brownies* die ze vroeger kocht in het winkelcentrum; ze smolten weg in haar mond, warm, heerlijk, en o zo slecht. Net als Puck.

'Je smaakt zo lekker,' zei Puck en streelde haar hals met zijn lippen. 'Als een hele bijzondere citrusvrucht.'

'Mijn lipgloss.' Quinn sloot haar ogen om zijn lippen op haar schouderbeen te kunnen voelen. 'Het is mango.'

'Mango,' herhaalde Puck, zijn lippen tegen haar huid gedrukt. Ze rilde.

De bel ging, en verbrak de betovering. Quinn zocht snel naar het lichtknopje, voordat hij weer ging zoenen. Ze voelde op de muur tot ze de knop had gevonden en deed het licht aan.

'Waarom doe je dat nou?' Puck hield een hand voor zijn ogen als bescherming tegen het felle licht. Quinn zag er in haar uniform erg misplaatst uit tussen alle schoonmaakmiddelen.

'Ik wil met je praten.' Quinn kruiste haar armen over elkaar en knipperde met haar ogen om aan het licht te wennen. Hoe haalde ze het in haar hoofd om in een smerige kast te staan tongen met Puck? Ze had weer eens niet nagedacht, dat was het natuurlijk. Althans, niet met haar hersens. In het licht was de bezemkast veel minder spannend en erotisch. Een gigantische metalen kast stond tegen een van de muren, tot de nok toe gevuld met bleek, Glassex en allerlei andere vage schoon-maakmiddelen waar ze nog nooit van gehoord had. In de hoek stond een reusachtige emmer met een vieze grijze mop die eruit zag alsof hij al vijftig jaar oud was. 'Je zei dat je wilde praten.'

Puck keek naar zijn schoenen. 'Klopt. Maar toen je de kast net inliep...' Zijn woorden stierven weg. Hij keek Quinn aan met schattige puppyogen die hem extra stout maakten. 'Ik kon mezelf niet tegenhouden.'

Quinn streek haar haar glad. 'Nou, waar wilde je het over hebben?' Ze zag een grote witte pot waarop stond OVER-GEEFSEL ABSORBERENDE EN ONTGEURENDE POEDER. Dat was zeker dat oranjeroze poeder wat de conciërge rondstrooide over de vloer als er weer eens iemand gekotst had. Niet ro-mantisch.

'Eh, ja.' Ineens was Puck verlegen. 'Ik dacht, omdat er dui-delijk iets aan de hand is met ons, dat we, nou ja, samen naar het homecoming-feest konden gaan.'

'Wat?' Haha, ze wist het, hij wilde niet met Santana gaan, hij wilde met haar gaan! Met haar, en niemand anders. 'Dat is lief van je Puck, maar dat is onmogelijk.'

Puck deed een stap naar achteren. Zei ze nou dat hij niet goed genoeg voor haar was? Hij had die zomer bijna vierdui-zend dollar verdiend met zwembaden schoonmaken en daar waren heus nog een paar honderd van over na alle six-packs en games die hij gekocht had. Genoeg geld voor de kaartjes, een corsage, en een fles drank na afloop. 'Waarom niet?'

'Denk even na, Puck.' Ze schudde haar hoofd en probeerde de beelden te blokkeren die ze had van Puck op de dansvloer, samen met haar. Wedden dat hij geweldig goed kon dansen. Het leek alsof zijn lichaam heel veel dingen goed kon. 'Wij kunnen nooit in het openbaar uitgaan. Ik moet aan mijn re-putatie denken.'

Puck haalde zijn hand door zijn haar. 'Waar slaat dat nou weer op? Ik heb ook een reputatie waar ik aan moet denken.'

'Precies,' zuchtte Quinn. 'Jouw reputatie om in bed te dui-ken met ieder meisje dat ook maar even naar je lacht.'

'Hé, niet boos zijn omdat vrouwen nou eenmaal op me vallen.'

Quinn staarde naar de emmer met overgeefpoeder. Pucks bijdehante reactie was tergend en opwindend tegelijk. Puck stond bekend om de snelheid waarmee hij meisjes verving alsof het tissues waren die hij iets viezer achterliet dan ze waren geweest. Als Puck je aangeraakt had, verdween elke kans op een net imago. Quinn probeerde zich voor te stellen hoe haar vader zou reageren als Puck haar voor het feest kwam halen. Eén blik op zijn haar en die sexy grijns en hij zou Quinn een kuisheidsgordel omdoen. 'Trouwens, ik heb nu wat met Finn.'

Puck leunde tegen de muur tegenover Quinn. Zijn jeans hingen aan zijn slanke lijf en ze kon zijn borstspieren zien bewegen onder zijn strakke longsleeve. Quinn probeerde niet te denken aan Puck, douchend na footballtraining. 'Is dat officieel?'

Quinn knikte. 'Zo goed als.' Ze haalde diep adem, klaar om in de aanval te gaan. Ze wilde hem op de een of andere manier hard raken. Ze moest heel snel ophouden met dit idiote gedrag. Ze had al bewezen dat ze niet te vertrouwen was als ze in Pucks buurt kwam. 'We gaan waarschijnlijk ook de homecoming king en queen-verkiezingen winnen. Tenminste, dat zegt iedereen de hele tijd.'

Puck zwaaide met zijn hand en maakte een korte sarcastische buiging. 'Ik wil natuurlijk niet tussen jou en je levensdoel staan, als je zo op kroontjes geilt.'

'Je bent een viespeuk.' Quinn verschoof haar rugzak. 'Ik weet niet waarom ik met je wilde praten.'

'Omdat je me mag.' Puck kwam dichterbij, zodat ze kon zien hoe lang zijn wimpers waren. 'Je kunt mij niet weerstaan.'

'Let maar op,' zei ze, en ritste haar witte vest dicht. Het was bloedheet in de kast, maar ze had behoefte aan een beschermend laagje tussen haar en Puck in. 'Wat er ook was tussen ons, het is voorbij. Voorgoed.'

Voordat hij iets kon zeggen, deed ze de deur open. De gang was verlaten en ze liep snel weg. Ze hoopte dat Puck snugger genoeg was om in de bezemkast te wachten totdat ze echt weg was. Trouwens, ze wilde hem ook helemaal niet meer zien. Niet nu, tenminste. Ze bedacht ineens hoe laat ze eigenlijk was voor Engels, en dook de meisjeswc's in. Ze moest even haar gezicht weer in de plooi krijgen.

In de Engelse les zat meneer Horn op de rand van zijn bureau te vertellen over zijn reis naar Zuid-Frankrijk vier jaar geleden. Ze hadden net *Tender is the Night* van F. Scott Fitzgerald gelezen (of ze hadden gedaan alsof) en omdat de roman zich aan de Franse Rivièra afspeelde vond hij het blijkbaar relevant om over zijn vakantie te vertellen. De klas was gewend aan dit soort 'educatieve uitweidingen' van hun docent en leunde rustig achterover in hun stoelen, zodat ze gewoon door konden kletsen zonder dat hij het doorhad.

Santana keek naar de klok boven het bord. Wat was er toch aan de hand met Quinn? Ze verdween de hele tijd. Laatst was ze tien hele minuten te laat voor de Onthoudingsclub, waar Santana alleen lid van was geworden omdat het zo nodig moest van Quinn. Nu was ze ook al te laat voor de les. Dat was niets voor Quinn. En Santana had haar advies nodig over de jurk die ze moest kiezen voor het homecoming feest. Ze had haar tijdschrift *Lucky* meegenomen en post-its geplakt op de bladzijden met mooie jurken. Meneer Horn was aan het babbelen over boerenmarkten in Frankrijk en het was de ideale gelegenheid voor Quinn om te adviseren of ze in het rood, als popster, of in het donkergroen moest gaan (vanwege haar olijfbruine huid).

Verveeld keek Santana om zich heen. Puck was er ook al niet, maar dat was niet zo vreemd. Hij was er wel vaker niet. Als dat gebeurde voelde Santana zich altijd een beetje doelloos. Waar ze moest ze dan naar kijken? Hij zat altijd twee stoelen voor haar in de rij ernaast, ze had perfect uitzicht op zijn sexy oren.

De deur van het lokaal ging een klein beetje open. Santana keek hoe Quinn stiekem het lokaal in glipte en snel op de stoel achter haar ging zitten. Meneer Horn had niets in de gaten. Hij had dia's meegenomen en probeerde de geleende diaprojector aan de praat te krijgen.

'Waar bleef je?' fluisterde Santana over haar schouder. Haar ogen scanden Quinns gezicht, dat er onnatuurlijk blozend uitzag.

Quinn antwoordde niet. Ze leunde naar voren en wees naar Santana's tijdschrift. 'O, is dat het laatste nummer? Ik zag een jurk die jou fantastisch zou staan. Geef eens.'

Santana gaf het tijdschrift. Ze was de vreemde blik in Quinns ogen alweer vergeten. En de uitgesmeerde lipgloss op haar gezicht.

Muzieklokaal, donderdag na school

Die donderdag na schooltijd stonden de ramen van het muzieklokaal open en hoorden ze korte fluitjes op de velden en het vage gebrom van een grasmaaier. Kurt zat op het randje van de pianokruk en speelde argeloos het deuntje van 'How do you Solve a Problem Like Maria' uit *The Sound of Music*, een van zijn lievelingsmusicals, op de toetsen van het majestueuze zwarte beest. Vroeger droomde hij dat hij een van de Von Trapp-kinderen was. Het leek zo mooi om in een huis te wonen waar iedere avond voor het slapen gaan gezongen werd. (Een van die mooie blonde jongens in de film heette trouwens ook Kurt, maar Kurt was altijd verliefd geweest op Friedrich, de oudste broer.) Een ideaal bestaan, totdat de nazi's alles verpestten.

Artie keek naar de klok. Mercedes en Rachel waren laat en straks had de jazz band het lokaal nodig. Er stonden al een paar gitaren klaar. 'Man, waar blijven ze nou?' Elke keer als hij aan de muziekvoorstelling dacht begonnen zijn handen te zweten. Vandaag was de laatste dag dat ze konden repeteren voor de grote dag, en Artie was natuurlijk zenuwachtig. Doodsbang, eigenlijk. Wilde hij serieus het podium op, voor de hele school? Ze hadden allemaal een hekel aan hem. Zelfs de leerlingen die niet dachten dat hij een ontzettende nerd was, liepen met een boog om hem heen, alsof hij lepra had en die rolstoel besmettelijk was. Maar dat was deels ook waarom hij dit wel wilde doen. Hij wilde op dat podium laten zien dat hij ergens goed in was. Hij hoefde dan misschien nooit meer naar gymles, maar hij kon wel zingen.

'Hebben jullie Rachel vanochtend gehoord bij de mededelingen?' vroeg Tina. Ze droeg een hoofdband die versierd was met spijkers en een Hello-Kitty-t-shirt. Ze had felblauwe glitter-oogschaduw op haar ogen gesmeerd. Ze tekende iets op de binnenkant van haar arm met een groene stift. 'Het kan zijn dat ik ongevoelig begin te worden voor haar, maar het lijkt alsof ze minder irritant is.'

'Je wordt ongevoelig voor haar.' Kurt hield even op met piano spelen. 'Zeker weten.'

'Hé, dat is vet.' Artie kwam dichter bij Tina's stoel. De tekening op haar arm was een feniks, de vleugels triomfantelijk gespreid. Hij keek om zich heen of ze deze van een boek of een tijdschrift had afgekeken. 'Heb je dat zelf verzonnen? Gewoon uit een hoge hoed getoverd?'

'Ja,' bloosde Tina. Ze was altijd al goed geweest in dingen natekenen, zelfs als ze het plaatje niet meer voor zich had. Als kind had ze boeken vol geschetst met tekeningen van dingen die ze die dag had gezien – dieren, mensen, vuilnis, wat dan ook. Haar schriften stonden nu nog vol schetsen. Het gaf haar iets om te doen terwijl ze probeerde niet op te vallen.

'Je bent een geweldige kunstenaar. Ik had geen idee.'

'B-b-bedankt,' mompelde Tina. Artie was zo'n schatje. Ze vroeg zich af of hij zich misschien toch bedacht zou hebben over het feest. Ze draaide een lok haar om haar wijsvinger, misschien moest zij hém gewoon vragen. Hij zou toch wel ja zeggen, ook als hij haar niet op die manier zag staan. Hij was veel te lief om nee te zeggen. En wie weet? Misschien zouden ze lol hebben.

'Dat gaat niet werken, Prinsesje Tuttebel.' Ze keken alle drie op en zagen Mercedes het lokaal instampen met een gezicht als een donderwolk. Rachel kwam er meteen achteraan. Ze hadden duidelijk ruzie gehad.

'Waarom niet? Het zou perfect zijn.' Rachel gooide haar roze rugzak op een stoel. Kurt stond op, liep naar Mercedes, en ging automatisch naast haar staan. Rachel zette haar handen in haar zij; ze was duidelijk niet van plan om toe te geven. 'Mercedes en ik bespraken de kleren die we morgen aantrekken en ik vind dat we een jaren vijftigthema moeten kiezen.'

'Wat, met zo'n wijde lange rok?' vroeg Tina argwanend.

'Precies!' Rachel glimlachte. 'Een van mijn vaders doet veel aan amateurtoneel in Lima en dit jaar hebben ze *Grease* gedaan, zoals je weet. We mogen vast de kostuums lenen.'

'En de mannen?' vroeg Kurt. Hij wilde echt niet dood gevonden worden in een wijde rok. Zelfs hij niet.

'Iets simpels, stoers. Een beetje James Dean-achtig. Zwarte skinny jeans, witte T-shirts.' Ze keek naar Artie en Kurt. 'Haar achterovergekamd. Hebben jullie een leren jack?'

'We gaan echt niet voor paal staan op het podium in de tweedehands kleren van jouw oma's *Grease*-voorstelling. Dat is echt zo suf!' Mercedes gebaarde met haar armen. 'Wijde rokken en veterschoenen. Dat is iets voor de basisschool, man.'

'En wat stel jij dan voor dat we aantrekken morgen?' vroeg Rachel, en ze vouwde haar haar achter haar oren. Ze was het enige Glee-lid met podiumervaring. Ze had als kind meegedaan aan een paar schoonheidswedstrijden – waar ze uitblonk in het onderdeel voor zang, dans of andere talenten – maar haar vaders hadden haar gedwongen ermee te stoppen toen ze gezien hadden hoe een meisje van zeven een vinger in haar keel had gestoken om over te geven. Toch had Rachel ervan geleerd dat de buitenkant erg belangrijk was en dat het essentieel was om er wat dat betreft ook allemaal hetzelfde uit te zien. En wie moest er nou niet glimlachen om de nostalgie van wijde rokken?

'Meer stijl, meer show,' zei Mercedes, en sloot haar ogen. Als ze een voorbeeld nodig had zag ze altijd Madonna voor zich. Niet dat ze vond dat ze allemaal een catsuit en een puntbeha moesten aantrekken, maar ze moesten wel iets spetterends doen.

'De toneelafdeling heeft giletjes met pailletten van de musical van vorig jaar.'

'Misschien met zwarte T-shirts?' opperde Tina. 'En zwarte skinny jeans zoals Rachel al zei.'

Rachel snoof. Ze wist heus wel dat Tina probeerde haar te paaien. Natuurlijk waren ze het weer niet eens met haar jarenvijftigidee. Het was haar idee en zij was stom, dus was het idee stom. Omdat ze zo laat bij de club was gekomen, of omdat ze jaloers waren op haar talent. Goed, ze waren dus allemaal vastberaden om haar carrière te dwarsbomen. 'Prima.'

Mercedes keek naar Rachel. Ze was blij dat ze gewonnen had, maar ze wilde niet dat Rachel nu zo pissig was dat ze ermee zou kappen. 'Ik denk niet dat ik er bepaald gaaf uit zou zien in een wijde rok met dit lichaam.'

Rachel glimlachte geforceerd. 'Laten we oefenen,' zei ze tuttig. 'We hebben niet alle bewegingen perfect. Kurt, jij begint de hele tijd met de verkeerde voet.'

Kurt salueerde kort naar haar. 'Ja, kapitein.'

Rachel zuchtte en gaf toen aan dat ze moesten beginnen. Het had geen zin om boos te blijven. Ze zou hier toch niet lang meer op school zitten. En ook al kon ze niet wachten tot ze hun gezichten zag als ze vertelde dat ze van school ging, wilde ze even wachten met dit nieuws. Het was namelijk wel de bedoeling dat ze nu naar haar luisterden.

Hun optreden moest de school op zijn kop zetten. Ze wilde het dak eraf zingen, en dan van school gaan.

Gang van McKinley High, donderdag na school

'Denk je echt dat Rachel alle woorden van *West Side Story* uit haar hoofd kent?' vroeg Tina aan Artie toen ze samen het muzieklokaal verlieten na de Glee Club-repetitie. Ze waren bekaf na de drilsessie voor het grote gevecht morgen, zoals Rachel het noemde. Tijdens de repetitie had ze verteld dat ze alle liedjes uit de musical uit haar hoofd kende sinds haar zesde.

'Het zou me niet verbazen als het waar was,' zei Artie. 'Ze komt nogal obsessief over.'

Tina giechelde. Ze knoopte haar capuchontrui los die om haar middel hing en liet haar armen in de mouwen glijden. 'Het is een hele lange musical.'

'Toch zou het me niet verbazen.' Artie glimlachte en stond stil. 'Ik moet deze kant uit.' Hij wees met zijn hoofd naar de achteruitgang van de school, in de gang achter de kantine. 'Mijn vader haalt me op.'

'Waarom haalt hij je daar op?' vroeg Tina. Ze kneep met haar neus. 'Daar staan toch al die vaten met vet?' In de gang achter de kantine rook het altijd naar verbrande vissticks – of ze nou op het menu stonden of niet. Haar moeder haalde haar vandaag op aan de voorkant van de school, bij de rotonde op de oprijlaan. Tina moest meestal met de bus naar huis maar als ze nableef voor Glee bleef die dagelijkse marteling haar gelukkig gespaard.

Artie lachte bitter. 'Het is ook de enige uitgang met een rolstoelhelling.' Hij haalde zijn schouders op. 'Het is waar ik elke dag in- en uitga.'

Tina kreeg een kop als een boei. 'S-s-sorry,' stotterde ze. Artie vond haar vast een complete idioot. Ze zei altijd van die domme dingen tegen Artie. Ze was ook zo gewend aan zijn rolstoel dat ze er helemaal niet meer over nadacht. 'Ik dacht niet na.'

'Niet erg.' Artie wuifde met zijn hand om te laten zien dat het geen probleem was. Hij was er zo aan gewend dat hij via de achteruitgang weg moest dat hij geen last meer had van de vissticklucht. Hij had de hoofdingang nog nooit gebruikt. Je kon er alleen komen via een trap van vijf brede betonnen treden; iemand zou hem omhoog moeten dragen. Hij was eraan gewend dat hij het leven van een andere kant zag dan de meeste mensen. 'Wees voorzichtig met je stem vanavond. Morgen treden we op!'

Artie reed weg en Tina keek hem na. Ze draaide zich om en stond oog in oog met een knalgele poster op de muur: DIT IS EEN OPROEP VOOR ALLE KUNSTENAARS! HET HOMECOMING-DECO-RATIETEAM HEEFT JOUW HULP NODIG. VRIJDAG TIJDENS DE LUNCHPAUZE BESPREKEN WE CREATIEVE IDEEËN IN DE GYMZAAL.

Tina staarde naar de poster, die er nogal suf uitzag. Er zat maar één afbeelding bij, van een uitgeknipt plaatje van een verfkwast. Als het decoratieteam zo saai en slecht was, hadden ze heel veel kunstenaars nodig. Misschien kwam het omdat Artie bij de Glee Club had gezegd dat ze een geweldige kunstenaar was, maar Tina dacht dat ze wel iets kon bijdragen.

Bovendien was een opmerking van Rachel blijven hangen. Hoe irritant ze ook was, Rachel had wel een punt toen ze zei dat mensen als Tina ook het recht hadden om mee te doen met buitenschoolse activiteiten. Dat was toch niet alleen het voorrecht van de populaire leerlingen. Die waren toch niet de baas? Ze had evenveel recht om de decoraties te maken als de mooie mensen.

'Opzij, Goth-meisje.' Een paar jongens van het zwemteam duwden haar opzij, hun tassen tegen haar aan botsend. Ze stonken naar chloor en Tina's ogen prikten van de scherpe lucht.

Meestal deed ze niet mee als dat betekende dat ze met anderen moest praten en samenwerken. Daarom had ze in groep zeven ook haar stotter verzonnen. Het was haar beurt om een spreekbeurt te houden en ze had de avond ervoor geen oog dicht gedaan. Ze had nog nooit voor de hele klas moeten staan om iets te vertellen – vijf minuten lang, wat een eeuwigheid leek – en ze vond het doodeng. Toen ze voor de klas kwam, trok ze juf Marcy opzij en zei, met tranen in haar ogen, dat ze geen spreekbeurt kon geven omdat... z-z-ze zich s-s-schaamde voor haar ge-s-s-stotter. Als mevrouw Marcy de stotter nog niet eerder had opgemerkt was het niet haar schuld; Tina was altijd erg stil en er zaten vijfendertig kinderen in de klas.

Maar Tina's excuus had een geweldig resultaat. Ze had één domme presentatie willen vermijden maar in plaats daarvan hoefde ze nóóit meer in het openbaar te spreken. Als ze in groepjes een presentatie moesten voorbereiden was zij altijd degene die de informatie opzocht in de bieb terwijl de rest van het groepje de presentatie hield. Haar stotter was een ideaal schild dat ze steeds vaker voor zich hield; niemand verwachtte dat je sociaal deed als je een spraakgebrek had. En zo mocht ze de eenling zijn die ze altijd al was, teruggetrokken in een hoekje met een schetsboek in plaats van kletsend met klasgenoten. Dat had ze – meestal – prima gevonden. Het was makkelijker en veiliger.

Maar de laatste tijd was ze het zat. Ze voelde zich als een heremietkreeft die voelde dat het tijd was om zijn kop uit zijn schild te halen en zijn poten uit te steken, gewoon om te kijken wat er gebeurde. (Hadden heremietkreeften poten? Of waren het scharen?)

Misschien kwam het omdat de Glee Club eindelijk ergens op begon te lijken, misschien kwam het door die nieuwe multivitamines die mama laatst gekocht had, maar Tina voelde zich... alsof de remmen los waren. Zonder zich de tijd te gunnen om zich te bedenken pakte Tina een stift uit haar tas, trok de dop eraf, en vulde haar naam in op de lijst. Ze kon tekenen, en ze wist dat ze kon helpen.

En misschien hoopte ze ergens een klein beetje dat Artie hierdoor naar het homecoming-feest zou willen gaan. Zou hij zo nieuwsgierig zijn naar haar bijdrage dat hij bereid zou zijn om naar een schoolfeest te gaan dat wel eens heel suf kon zijn? Een meisje kon altijd hopen.

Bij Rachel thuis, donderdagavond

Rachel Berry vulde de afwasmachine met het geelgroene servies van haar familie. Ze kookten om de beurt, wat meestal neerkwam op iets laten bezorgen en de tafel afruimen. Die avond was het Rachels beurt geweest. Ze had heerlijke tonijntartaar met ezelsorensla, gegrilde groene asperges en gebakken krielaardappeltjes gemaakt uit het veelgebruikte kookboek van Jamie Oliver. Koken was zoiets aards, zo doodgewoon, dat ze er rustig van werd. Rachel wist dat ze vanavond moest ontspannen zodat ze morgen een goede show kon geven.

Meestal hoefde je niet af te wassen als je ook gekookt had, maar die avond was het negentien jaar geleden dat haar vaders elkaar ontmoet hadden en ze wilden naar het filmmuseum om *Some Like it Hot* te zien.

'Weet je zeker dat je niet mee wil?' vroeg papa Leroy. Hij stak zijn hoofd om de hoek van de keuken en keek naar Rachel die de tafel afnam met een spons. Hij was African American, waardoor Rachel vond dat ze best lid mocht worden van de Leerlingenvakbond voor Minderheden op school. Ze vond het heerlijk om een lange lijst buitenschoolse activiteiten op haar cv te hebben.

'Ga lekker samen en maak er een romantische avond van.' Rachel plukte een wit rozenblaadje van een van de negentien witte rozen die ze haar vaders die ochtend had gegeven. 'Ik heb stapels huiswerk en ik moet mijn ontspanningsoefeningen nog doen. Ik wil me goed voorbereiden voor de voorstelling morgen.'

'Je doet 't morgen vast geweldig.' Rachels andere vader, Hiram, kwam de keuken in en greep zijn zwarte leren portemonnee van het aanrecht. Hij gaf haar een kusje op haar wang. 'Niet te hard werken.'

Even later hoorde Rachel de Subaru wegrijden. Het was fijn om het huis voor haarzelf te hebben, ook al had ze nu best een vriendje willen hebben die ze kon sms'en of hij langskwam voor een spontaan avondje ongestoord zoenen. Ze had nog maar met een paar jongens gezoend, op zang- en danskampen in de zomervakantie, en een van die jongens had vlak nadat hij met Rachel had staan tongen ineens aangekondigd dat hij homo was! Ze wist dat ze aantrekkelijk en talentvol was en in het bezit van een geweldig gevoel voor humor en perfecte witte tanden; kortom, een gewilde vrouw. Helaas waren de enige jongens die haar mening deelden op McKinley High het soort jongen waar ze nooit mee zou willen zoenen.

Rachel zuchtte en ging zitten aan haar witte bureau. Straks ging ze in bad, met lavendelolie, en zou ze haar visualisatieoefeningen doen. Ze had een cursus zelfmotivatie gevolgd op de volksuniversiteit. Sindsdien beeldde ze zich voor belangrijke gebeurtenissen in hoe het moest gebeuren. De aula morgenavond, de lampen zacht schijnend op de volle zaal. Het publiek, ademloos wachtend. Een spot richt zich op Rachel, en de rest van Glee, maar die staan op de achtergrond. Ze opent haar mond en haar stem vult de ruimte. Daverend applaus.

Het kon geen kwaad om te visualiseren. Toch? Ook al was het misschien belachelijk. Maar eerst moest ze aan haar pagina op MySpace werken. Ze was verslaafd. MySpace was ideaal voor de marketing van haar muzikale talenten. Allerlei zangers en bands hadden deals gesloten met platenmaatschappijen omdat ze zelf fans op MySpace of YouTube hadden verzameld. Rachel zette elke dag een nieuw liedje of nieuwe clip op haar pagina.

Ze drukte op de afstandsbediening en haar iPod in de docking station sprong aan. Ze koos haar Sterke-Vrouwenafspeellijst en de stem van Gwen Stefani vulde de kamer. Ze werd elke dag weer vrolijk van haar kamer. Ze had gele muren, een op maat gemaakte sprei en een grote zitzak in de hoek. Hier maakte ze de mooiste dingen – ze had voor het eten nog een goed filmpje van zichzelf gemaakt terwijl ze 'Bleeding Love' van Leona Lewis zong.

Na wat spam gewist te hebben van wat Cheerios, die blijkbaar niets beters te doen hadden dan haat zaaien op het internet, en nog een opmerking van een engerd die zei dat ze mooie amandelen had verwijderd te hebben, begon Rachel haar filmpje te uploaden. Elke keer als ze op UPLOAD klikte, kreeg ze vlinders in haar buik: ze kon zomaar ontdekt worden. Ze was maar een simpele muisklik verwijderd van ontdekking door iemand met de juiste connecties en met verstand van talent – haar leven zou totaal veranderen en haar ver van Lima wegvoeren, als een vliegend tapijt.

Rachel wilde net aan haar geschiedenishuiswerk beginnen toen ze zag dat ze een msn-bericht had van Haaievinn5:

P.S. kijk uit morgen bij de voorstelling. Een paar Cheerios gaan een grap uithalen. Van een vreemdeling.

Rachel staarde naar het scherm. Ze had meteen door dat het msn-bericht van Finn Hudson moest zijn. De 'vin' met dubbele *nn*, zijn rugnummer 5, het verkeerde gebruik van P.S. (je kon geen p.s. schrijven als er geen brief aan vooraf ging); alles wees op Finn. Bovendien kon het bericht alleen van een insider komen, iemand die met de Cheerios omging. Ze wist dat er iets gebeurd was tussen hen in de aula. Dat was geen verbeelding geweest. Haar vingers tintelden. Finn Hudson maakte zich zorgen om háár!

Hij riskeerde de wraak van zijn populaire vrienden om haar te waarschuwen? Hij verraadde het vertrouwen van de Cheerios, en dat van Quinn, zijn vriendinnetje, omdat hij zich zorgen maakte om Rachel?

Bedankt voor de waarschuwing, vreemdeling, typte ze, *maar wat voor een grap is het dan?*

Een minuut, twee minuten, nog steeds geen reactie. Rachel dacht dat hij niet meer zou reageren. Ineens had ze weer een msn-bericht: *Geen idee. Ik wou het gewoon vertellen. Doei.*

Rachel keek weer naar het scherm. Ze wilde niet weer reageren en Finn afschrikken. Het was duidelijk dat hij dacht haar heel *sneaky* anoniem te hebben gewaarschuwd. Hij was niet de slimste, maar wel lief. En lekker.

Goed, er was dus storm op komst. Interessant. Ze had kunnen weten dat de Cheerios haar oproep tot een verkiezingsboycot niet ongestraft zouden laten. Het was opvallend dat ze nog geen enkele slushie over zich heen had gekregen. De Cheerios voerden duidelijk iets in hun schild.

Toch vond ze het moeilijk om de waarschuwing serieus te nemen. Het was veel te leuk dat Finn contact had gezocht. Ze besloot haar pyjama aan te doen en er eens goed over na te denken. Als ze comfortabele kleren droeg, was haar hoofd rustig en helder. Ze pakte een gestreken stapel roze-met-wit gestreepte pyjama's uit haar kast en trok er snel een aan terwijl ze haar kleren in de witte rieten wasmand gooide.

Ze kon twee dingen doen. Keuze nummer een: ze kon de andere Glee-kids doorgeven dat ze een waarschuwing had gekregen van een mogelijke aanval tijdens hun optreden. Als ze dat hoorden, wilden ze ongetwijfeld niet meer meedoen. Dat het slappelingen waren die niets durfden was een feit dat ze onder ogen moest zien. Ze gingen niet voor goud, zoals Rachel.

En dan was er optie nummer twee: ze moest ervaring hebben met optreden zodat ze beter werd. Nu had ze morgen eindelijk de kans om op het podium te staan en de wereld te laten zien hoe fantastisch ze was. En ze vond het fijn – oké, heerlijk – om in het middelpunt van de belangstelling te staan. Sterker nog: ze had het nodig als water en lucht. Het had laatst zo goed gevoeld om op het podium te staan terwijl Finn naar haar keek vanuit de donkere aula. Ze sloot haar ogen en voelde de houten vloer van het podium onder haar voeten. Ze kon het publiek horen fluisteren en ritselen voordat Glee op moest, en ze voelde de gespannen stilte als de zangers eindelijk opkwamen.

Ze zag de verbijsterde gezichten die haar aankeken en zich afvroegen hoe McKinley High dit geheim ooit had kunnen bewaren.

De keuze was duidelijk. *The show must go on.*

McKinley High gymzaal, vrijdag overdag

Vrijdagochtend had Tina direct na de bel haar koerierstas met doodshoofdenprint gepakt en was het biologielab uitgerend. Ze had drie keer per week biologie in het laatste lesuur voor de lunchpauze en dat was vragen om moeilijkheden als ze moesten ontleden. Mercedes, die voor haar zat bij biologie, was nog sneller dan Tina naar buiten gehold.

'Waarom moeten alle leerlingen op high school een kikker kunnen ontleden? Welke malloot van een ambtenaar heeft dat bedacht?' klaagde Mercedes, en wuifde zichzelf wat frisse lucht toe met een paars schrift. 'Heeft meneer Rochna nog nooit gehoord van e-learning? Gisteravond vond ik een hele duidelijke kikkerontledingsles.'

Tina keek naar haar vriendin, die een groen gezicht had. Mercedes was Tina's biologiepartner en Tina had haar aangeboden om alle incisies te maken maar meneer Rochna was erbij komen staan en had gezegd dat Mercedes de nieren er zelf uit moest halen. Ze had de tafel bijna ondergekotst. 'Dat is toch net zo goor?'

'Meen je dat nou? Als die kikkeringewanden niet onder mijn neus liggen kan ik er best tegen. Hoe moet ik nou nog lunchen?' Mercedes zuchtte. 'Ik moet de hele tijd aan kikkerdarmen denken.'

Tina giechelde. Ze vond ontleden niet zo erg en Mercedes was grappig als ze zo overdreef. Het was best interessant, een soort van smerig-interessant, om te zien hoe de verborgen binnenkant van een levend wezen eruitzag. Deze kikkers waren enge wezens. Ze hadden veel langere poten dan de kikkers die Tina had gezien in haar opstaande zwembad of in de koivijver van de buren. 'Ik ga niet lunchen vandaag,' vertelde Tina. 'Ik ga naar de vergadering van het homecoming-decoratieteam in de gymzaal.'

Mercedes bleef stokstijf staan. Haar ogen vielen zowat uit haar hoofd. Deed Tina mee aan iets sociaals? Met levende wezens? 'Volgens mij heb ik je niet goed gehoord. Zeg nog eens.'

Tina herhaalde wat ze net gezegd had, maar nu stotterde ze erbij.

'Voor het homecoming-feest?' vroeg Mercedes langzaam. Een paar voetbaljongens liepen langs en gooiden een dode kikker heen en weer over hun hoofden. Mercedes liep weg. 'God, haal me weg uit deze school.'

Ja, knikte Tina, blij dat Mercedes even was afgeleid. Ze had altijd zo'n sterke mening en als ze Tina had afgeraden om mee te doen met het decoratieteam had Tina vast naar haar geluisterd. 'Ik denk dat het wel leuk kan zijn.'

Mercedes knikte bedachtzaam met haar hoofd. Haar grote bruine ogen keken Tina aan. 'Laat niet met je sollen.' Ze keek haar streng aan. 'Madonna laat ook niet met zich sollen.'

Toen Tina bij de gymzaal was bleef ze even stilstaan in de deuropening. De gymzaal zag er net zo uit als elke andere. Aan een kant stonden inklapbare tribunes, de muren waren heel erg hoog, de ramen waren van melkglas, en aan het plafond hingen allerlei balken en apparaten die niets anders leken te kunnen dan de basketbalnetten laten hijsen en zakken. De zaal stonk naar zweet en het rubber van basketballen en deed Tina altijd aan de basisschool denken, als ze trefbal speelden (wie had bedacht dat dát een goed idee was?) en zij de hele tijd geraakt werd door een bal die zacht was, maar zeer deed, vooral als iemand hem tegen je gezicht aansmeet.

Ze haalde diep adem en onderdrukte haar vluchtreactie.

Op een hoek van de tribunes zat het decoratieteam en het zag ernaar uit dat daar voornamelijk Cheerios in zaten, of meisjes die hoopten ooit Cheerios te worden. Er waren geen jongens bij, alleen een stuk of tien meisjes die allemaal op de banken hingen of lagen te spelen met hun mobiel of iPod. Een aantal grote verhuisdozen stond in het midden van de zaal; ze zagen eruit alsof ze uit een kelder kwamen waar ze al 200 jaar in opgeborgen waren. Een paar meisjes waren elkaars haar aan het vlechten.

Was dít het decoratieteam? De aanblik van dit ongelofelijk onbekwame groepje artistieke nietsnutten inspireerde Tina. Ze kon hier iets betekenen.

Alle meisjes keken op van het piepende geluid van Tina's Dr. Martens op de glanzende vloer. Waarom moest die houten vloer ook altijd zo glad zijn? Je kon er bijna op schaatsen. Tina focuste op lopen zonder te struikelen en na een eeuwigheid kwam ze eindelijk aan de overkant bij de tribunes. Ze ging op de onderste rij zitten. 'H-h-hoi,' zei ze, omdat iedereen haar afwachtend aankeek. 'Ik kom voor de vergadering.'

'Ja.' Santana Lopez keek even naar Kirsten Niedenhoffer, een rondborstige blonde laatstejaars die vijf kilo moest afvallen van Coach Sylvester omdat ze anders niet meer op de tweede rij van de piramide mocht staan.

'We gaan beginnen,' kondigde Kirsten resoluut aan. Ze had vrijwillig aangeboden de vergadering voor te zitten. 'Zoals we allemaal weten is het homecoming-feest een megabelangrijke sociale happening op McKinley High. Het is cruciaal dat de decoraties heel erg vet zijn.'

Santana staarde naar het meisje dat er net bij was komen zitten. Ze droeg een zwarte spijkerbroek met enorme gaten op haar knieën, een blauw-met-zwartgeruit houthakkersshirt, en ze had bijpassende blauwe highlights in haar haar. Haar laarzen leken op legerkistjes. Had niemand verteld dat Goth niet meer kon? Wat deed ze hier eigenlijk? Santana wist dat het geen goed idee was geweest om de gele poster op te hangen. Iedereen die ook maar iets voorstelde wist toch al dat er een vergadering was, en kijk nou wat voor gespuis die poster had binnengehaald!

Tina bekeek de gymzaal eens goed terwijl Kirsten doorpraatte. Tina vond het moeilijk om de zaal als iets anders te zien dan de plek van eeuwige vernedering. De plek waar ze elke keer weer de volleybal serveerde op bevel van mevrouw

Tuft en toekeek hoe de bal alweer *pok* op iemands hoofd deed in plaats van hoog over het net te vliegen. Maar ze probeerde zich de gedimde lampen voor te stellen, misschien een beetje maanlicht dat door de hoge ramen naar binnen scheen op de zachtjes wiegende dansparen. Ze zag goud en zilver, de kleuren van de zon en de maan, van het plafond tot over de zaal hangen.

'We hebben vrijwilligers nodig die het podium versieren waar de king en queen gekroond worden. Ik hoef niet te vertellen hoe belangrijk dat is,' ging Kirsten verder.

Een paar Cheerios staken hun hand op om zich op te geven. Tina ook. Niet dat het podium voor de king en queen haar iets kon schelen – ze wilde gewoon laten zien dat ze overal voor in was. 'Goed, Alice, Olivia en Olivia K, jullie doen het podium met zijn drietjes.' Kirsten keek naar de lijst in haar handen. 'Nu zoek ik mensen die weten wat we door de zaal hangen, van muur naar muur. Lampen? Slingers? Wie wil dat doen?'

Weer stak Tina haar hand op en weer zag Kirsten het niet, zo leek het tenminste. 'Ik wil vrijwilligers die de muren kunnen versieren. Hoe bedekken we die vreselijke matten?' Ze wees een paar meisjes aan en gaf ze de opdracht om de muren eens goed te bekijken en met een oplossing te komen. Tina keek om zich heen. Niemand leek erg geïnteresseerd in hun opdrachten en zelfs Kirsten had midden in haar aanwijzingen staan sms'en.

Tina ging naar de dozen. Ze hurkte neer bij de eerste doos. Hij was bedekt met een laag schimmel en rook naar de kelder van Tina's oma. Er zaten tientallen papieren palmbomen en kartonnen *hula*-meisjes in voor een Hawaiiaans themafeest. Wat duf.

De volgende doos bracht meer geluk. Er zaten honderden mooie grote en kleine sterren in, al hadden ze hun beste tijd wel gehad. Sommige waren groter dan haar hoofd, anderen juist kleiner dan haar hand. Ze waren van dik karton gemaakt, de randjes krulden hier en daar een beetje en de gouden verf was er soms afgesleten, maar Tina kon daar wel een oplossing voor vinden. De randjes weer plat maken en de sterren opfrissen met glitterverf.

Ze kreeg er ineens helemaal zin in. Ze kon dus inderdaad een bijdrage leveren.

Ze tilde de doos met sterren op en liep naar Kirsten, die op een wortel kauwde en met Santana zat te kletsen. 'D-d-denk je dat ik met deze sterren mag werken?' vroeg Tina. 'Er zijn honderden sterren, en we z-z-zouden overal gouden sterren kunnen ophangen.'

Kirsten glimlachte liefjes. 'Tuurlijk,' zei ze met de stem die ze gebruikte voor haar irritante broertje van twaalf. 'Leef je maar lekker uit.'

Tina knikte. Ze wist dat Kirsten met haar spotte, maar het kon haar niet schelen. Ze zag de gymzaal al voor zich, vol glitters en heel erg on-gymzaalachtig, en ze stelde zich voor dat Artie voor de tweede keer zou zeggen dat ze een geweldige kunstenaar was. Wat een geweldig meisje ze was.

Tina liep vol enthousiasme terug naar de dozen om nog meer schatten te zoeken. Ze zong zachtjes voor zich uit terwijl ze ster na ster optilde, op zoek naar de minst beschadigde exemplaren.

'Tuurlijk, loser.' Kirsten schudde haar hoofd terwijl ze keek hoe Tina naar de dozen kloste op haar zware zwarte laarzen. 'Alsof wij naar jouw ideeën gaan luisteren.'

Santana staarde naar Tina en zei niks. Waar kende ze dat meisje toch van? Niet dat ze ooit op dat soort types lette. Toen wist ze het weer, toen ze laatst langs het muzieklokaal liep had ze een paar mensen een melig oud Elvis-liedje horen zingen dat haar vader ook altijd voor haar moeder zong. Santana had haar hoofd door de deur gestoken en bijna het lokaal ondergekotst. Trut-van-het-jaar Rachel Berry commandeerde een paar jongens en meisjes en zei dat ze sommige stukjes opnieuw en opnieuw en opnieuw moesten doen, en Tina was een van de meisjes. 'Ze zit in Glee,' fluisterde Santana tegen Kirsten.

Kirstens blauwe ogen werden groter. 'Oooooo,' fluisterde ze. 'Wat ga je nu doen?'

'Let op.' Santana stond op. Naast de dozen die de conciërge uit de opslag had gehaald – hij had erbij gezegd dat hij ging verbranden wat ze niet wilden hebben – stond een doos met een oude rookmachine. Gisteren hadden de Cheerios het apparaat uitgeprobeerd tijdens hun Black Eyed Peas 'Don't Phunk With My Heart'-routine maar het ding was waardeloos en waarschijnlijk giftig. Grote dikke rookpluimen kwamen hortend en stotend naar buiten en ze waren allemaal gaan hoesten. Ze hadden tot ergernis van Coach Sylvester een pauze moeten inlassen totdat de rook was weggewaaid. En dat was buiten. Santana kon zich de schade die het apparaat binnen zou verrichten voorstellen, in een aula, op het podium. Terwijl een bepaalde trut en haar vriendjes een optreden gaven voor de hele school. Ze had al met Quinn bedacht dat ze het ding aan gingen zetten terwijl de Glee Club optrad, maar het was natuurlijk te grappig als ze het ding nu aan Tina gaf en straks kon zien hoe Tina het zelf aanzette.

Santana tilde de doos op en liep naar Tina. Ze keek heel onschuldig en behulpzaam. 'Hé,' zei ze, want ze wist niet hoe Tina heette. 'Je treedt vanavond op, toch?'

Tina liet de sterren uit haar handen vallen. Ze stortten als een waterval neer om haar voeten. Tina bukte om ze op te rapen en tot haar grote verbazing hielp Santana mee. De Cheerio hield een doos vast met één hand en pakte een paar sterren met haar andere hand. 'Ja, m-m-met Glee Club,' antwoordde Tina.

'Ik dacht dat je misschien deze rookmachine wel kon gebruiken tijdens je optreden.' Santana probeerde lief te lachen. Ze kon acteren; ze had drie zinnen gehad in McKinley Highs lentevoorstelling en haar moeder had gezegd dat ze een heel overtuigend 'Oud vrouwtje met monocle' was. 'Wij hebben hem gisteren gebruikt bij de repetities en het ziet er indrukwekkend uit. Jullie zouden er echt superprofessioneel uitzien als dat ding aanstond tijdens jullie optreden.'

Tina keek naar de doos in Santana's armen. Dit was vreemd. Maar ook aardig. Misschien waren die Cheerios niet zo slecht als ze dacht. Ook al hadden ze haar niet echt aangekeken bij de vergadering, ze hadden haar ook niet geslusht of lelijke dingen tegen haar gezegd. Santana bukte zelfs om een paar sterren op te rapen, dat was normaal, vriendelijk gedrag dat Tina nooit verwacht had van een Cheerio. En nu wilde Santana ook nog een Cheerios-apparaat aan haar lenen?

'E-e-erg aardig van je,' Tina gooide de sterren terug in de doos en pakte de rookmachine aan van Santana. Ze zag de rook al op het podium hangen en dan de Glee Club erdoor verschijnen, zingend in hun glittergiletjes. Het zou geweldig zijn. 'Bedankt.'

'No problemo,' antwoordde Santana, en draaide zich op de hak van haar gymp weer om. Dit beloofde nog beter te gaan dan ze had gehoopt.

Als Rachel Berry eindelijk snapte wie hier de baas was zou ze misschien eindelijk eens haar kop houden.

Aula van McKinley High, vrijdagavond

Het was zover: de avond van de muziekvoorstelling. De spanning was te snijden achter de coulissen van de aula waar de Glee Club wachtte tot de voorstelling begon. Er was geen echte artiestenfoyer dus zaten de leerlingen met hun instrumenten achter de coulissen en probeerden hun gitaren weg te houden van de koorden die het bordeauxgekleurde doek voor het podium bedienden. Leden van de jazzband hielden hun mondstukken in hun mond en poetsten hun instrumenten. Een jongen, die Jakob heette J-Fro werd genoemd vanwege zijn pluizige bos lichtbruine haar, deed die avond dienst als toneelknecht. Hij liep rond met een klipbord en controleerde of alle leden van de verschillende groepjes aanwezig waren. Hij droeg voor deze gelegenheid een dikke zwarte das en een buttondown met korte mouwen. De oksels waren nu al doorweekt.

Rachel stond voor een achtergrondtafereel van een Russische boerderij voor *Fiddler on the Roof*. Ze had overal om zich heen gekeken of ze een Cheerio met snode plannen tegen Glee kon zien, maar ze had er geen kunnen ontdekken. Misschien zat Finn ernaast. Dat was heel goed mogelijk, want hij was nou niet bepaald het type dat ooit ergens goed van op de hoogte was.

Of waren het allemaal praatjes geweest? Dat was ook mogelijk. Wat konden ze nou eigenlijk doen? Overal op school stonden gemene, valse roddels over Rachel op de wc-muren geschreven. Misschien hadden de Cheerios haar alleen maar bang willen maken met het 'geheim' van de geplande grap om haar zenuwachtig te maken. Nou, dat ging dus mooi niet gebeuren.

Ze sloot haar ogen en blies uit terwijl haar lippen trilden. 'Brbrbr,' klonk het.

'Staat ze haar imaginaire vriendje te zoenen?' fluisterde Kurt hoorbaar in het oor van Mercedes. Hij wist dat hij er goed uitzag, in zijn strakke Armani-spijkerbroek en American-Apparel-shirt.

'Dit is een fibril, of "de bubbel" zoals mijn stemcoach het noemde.' Rachel draaide zich snel om naar Kurt. 'Het is een heel effectieve warming-up-oefening voor een zanger, vlak voor een voorstelling' – Rachel maakte een groots gebaar met haar arm om aan te geven dat zij ook een voorstelling hadden, voor het geval ze dat niet door hadden – 'of gewoon om je stem te trainen.' Ze keek Kurt, Artie en Mercedes een voor een aan. 'Misschien is het een goed idee dat jullie het ook doen.'

'Waar is Tina?' Mercedes draaide expres haar rug naar Rachel. Het had nu geen zin om kwaad te worden. Bovendien hadden ze echt een probleem als Tina niet kwam opdagen. Ze kreeg ineens een rilling van de herinnering aan vorig jaar, toen ze bij meneer Schuester de eenakter hadden gespeeld van *Los tres cerditos* over de drie kleine biggetjes. Mercedes vond het geweldig dat ze de rol van het tweede biggetje had gekregen, maar Tina was verstijfd van angst geweest en vond het zo eng dat ze een rol had – ze was een boom en had geen tekst – dat ze niet was komen opdagen toen ze de eenakter moesten spelen voor een groep kinderen van een basisschool. 'Als het maar niet weer *Los tres cerditos* wordt.'

'Het loopt nu al in de soep. Toch?' vroeg Kurt. Zijn blik verstijfde. 'Ik ben ervoor dat we nu vluchten. Alles beter dan straks voor lul staan op het podium.'

'Ze komt wel.' Iemand struikelde bijna over Arties rolstoel. Hij rolde naar achteren tegen een tafel en stootte een vaas om waar plastic bloemen in zaten vastgeplakt.

'Mooie outfits.' Ineens stond Jakob rechts van Rachel. Hij stond zo dichtbij dat ze zijn deodorant kon ruiken die, te zien aan de groter wordende zweetplekken bij zijn oksels, niet sterk genoeg was. Ze deed een stap naar achteren. 'Je ziet er spetterend uit,' voegde hij toe.

'Bedankt.' Rachel glimlachte diplomatiek naar Kurt. Ook

al waren zijn kleren nog zo goed bij elkaar gezocht, toch zagen ze er met zijn allen nogal *nerdy* uit door die identieke glittergiletjes. Zij had haar zwarte korte plooirok aangedaan, waardoor haar mooie benen goed zichtbaar waren. Al die uren op de crosstrainer hadden duidelijk effect. Ze had alleen maar zwarte kleren hoeven uitkiezen uit haar klerenkast, en toch had ze er minstens een uur over gedaan om zich aan te kleden. Dit was haar eerste optreden – van duizenden, hoopte ze – en de school zou haar eerste publiek zijn. Alles moest perfect gaan. Ze had haar zwarte lievelingsshirt met de pofmouwen gekozen en had zelfs haar lievelingsondergoed aan van wit katoen met gouden sterretjes, voor extra zelfvertrouwen. Niet dat ze dat nodig had. Ze zouden de show stelen.

'Ik weet niet of ik zo blij ben met deze outfit.' Artie keek omlaag naar zijn gilet, die hij over zijn zwarte T-shirt en zwarte bretels had aangetrokken. Die pailletten waren vreselijk meisjesachtig. Misschien was het niet het slimste idee geweest om Kurt, die ooit met een konijnenbontje om zijn schouders naar school was gekomen, verantwoordelijk te maken voor de outfits. 'Volgens mij heeft mijn tanta Linda exact hetzelfde giletje.'

'Dan is jouw tante Linda een stijlicoon.' Kurt gooide zijn schouders naar achteren. De glitterlook werkte alleen als ze zelfvertrouwen uitstraalden. 'We zien er geweldig uit.'

'Rachel, het giletje accentueert een paar van je beste eigenschappen.' Jakob glimlachte zenuwachtig naar Rachel terwijl hij zijn dikke brillenglazen terugschoof op zijn neus.

Getsie, dacht ze. Dat ze allebei joods waren betekende echt niet dat Rachel Berry die hitsige smeerlap iets verschuldigd was. Omdat hij een blog bijhield van alles wat er gebeurde op McKinley High kon ze hem niet negeren. Ze zorgde dat ze aardig deed tegen hem, het loonde nooit om journalisten te beledigen. En de Glee Club kon een goede recensie wel gebruiken. 'Wat doe je hier eigenlijk, Jakob?' Rachel vouwde haar armen voor haar borsten en probeerde de irritatie die ze voelde te verbergen in haar stem.

Jakob keek naar zijn klipbord. 'Ik check of alle groepen klaar zijn. Is iedereen hier?'

'Ja, we zijn er allemaal!' riep Tina terwijl ze een tubaspeler met een hoge hoed op bijna omver kegelde toen ze erlangs liep. 'Sorry dat ik zo laat ben.' Ze zeulde de doos met de rookmachine mee en hijgde zowat van de inspanning. 'Maar ik heb een cadeautje bij me.'

'Wat is dat?' vroeg Rachel, en keek nieuwsgierig in de doos. Ze had een hekel aan verrassingen.

'Een rookmachine,' kondigde Tina trots aan. 'Hij zat in een doos bij de decoraties die vanmiddag bij de vergadering van het decoratieteam in de gymzaal stonden.'

Rachel slaakte een kreetje. 'Dit is zo raar. Gisteravond droomde ik dat ik optrad bij de voorstelling en 'On my Own' uit *Les Miserables* zong. Om mij heen krulde rook alsof ik op straat in Parijs stond tijdens het beleg van de stad.' Rachels ogen keken dromerig voor zich uit. Waarom had zíj er niet aan gedacht dat ze een rookmachine nodig hadden? Ze had genoten van de complimentjes die ze daarvoor zou ontvangen.

'Let op de afwezigheid van andere Glee-kids in haar droom/ fantasie,' fluisterde Kurt tegen Mercedes. 'Niet dat ik het nou fijn zou vinden als ze over mij in bed zat te fantaseren.'

'Klinkt geweldig, maar hoe gaan we het ding bedienen vanaf het podium?' vroeg Artie.

'Ik wil wel helpen,' bood Jakob aan. Hij zag hoe opgewonden Rachel raakte bij de gedachte aan rook op het podium. Misschien mocht hij haar dan eindelijk eens aanraken. 'Ik deed de rekwisieten bij de drie laatste theaterproducties op school. Ik weet waar alle stopcontacten zitten.'

Tina overhandigde hem de doos en stofte haar giletje af. Ze droeg een zwarte rok, zwarte kniekousen en haar geliefde Dr. Martens Mary Janes. 'Ik laat je even zien hoe hij werkt.'

Jakob en de rest keken toe hoe Tina het apparaat in elkaar zette. Ze sloot hem aan en meteen kwam hij tot leven. 'Je hoeft hem alleen maar op het podium te richten en dit rode knopje telkens tien seconden lang in te drukken.' Ze keek weifelend naar Jakob. 'Gaat dat lukken?'

Een groep leerlingen rende voorbij en schreeuwde dingen als 'versterker' en 'receiver.' De Glee-kids gingen opzij en probeerden kalm te worden van Rachels neurieklanken en de andere maffe stemgeluiden die ze voortbracht bij haar oefeningen.

Jakob gluurde naar Rachel die weer dat sexy brbrbr-ding met haar lippen deed. Hij likte zijn lippen en smakte ze op elkaar. 'Het gaat me zeker lukken.'

Maar toen de jazzband de voorstelling opende met het Glenn Miller-nummer 'In the Mood' werd het ze ineens heel erg duidelijk dat ze zometeen moesten optreden. Artie leunde achterover en deed ademhalingsoefeningen in zijn samengevouwen handen om te voorkomen dat hij zou gaan hyperventileren.

'Gaat het, Artie?' vroeg Tina, en leunde over hem heen. Zijn wangen waren grauw.

'Ik... ik denk dat we een beetje overdrijven door meteen te willen optreden.' Hij keek weer omlaag naar zijn glittergilet en miste zijn dagelijkse kloffie: een doodgewone witte buttondown en bretels. Dit voelde helemaal verkeerd. 'Ik bedoel, hoe vaak hebben we nou eigenlijk gerepeteerd? Denk je nou echt dat we daar kunnen gaan staan zonder onszelf voor gek te zetten?'

Tina merkte dat het bekende gevoel van paniek haar naar de keel greep. Het gevoel dat ze kreeg als haar grote zus bovenop haar ging zitten en haar de kieteldood gaf tot ze blauw zag. Hoe kon ze zingen voor iedereen als ze het gevoel had dat ze stikte? 'Misschien heeft Artie gelijk.'

'Laten we weggaan, voordat we een gigantische fout begaan.' Mercedes zag haar knusse zitkamer voor zich, met de grote leren loungebanken en de flatscreen aan de muur. 'We kunnen naar mijn huis gaan en lachen om *High School Musical*.'

'Hé, geen kritiek op Zac Efron,' waarschuwde Kurt. 'Zijn haar is perfect.'

Rachels mond was zo ongeveer op de grond gevallen van verbijstering. 'Die gasten zijn zo slecht,' verkondigde ze. 'Ik kan niet geloven dat jullie nu nog willen opgeven. Dat is precies het soort houding dat ervoor heeft gezorgd dat jullie tot nu toe helemaal niks bereikt hebben met Glee.' Ze haalde diep adem. Ze vond het heerlijk om achter de coulissen te staan wachten tot ze in de spotlights mocht staan. De felle lampen op het podium, het beleefde applaus van het publiek na het eerste nummer van de jazzband, de groenverlichte UIT-bordjes die ze vanaf hier boven de ingangen van de aula kon zien – zorgden er allemaal voor dat ze alleen maar nog meer wilde optreden dan gisteren.

'Maar we zijn bang dat...' begon Mercedes.

Rachel onderbrak haar. 'Iedereen is bang. Jullie moeten niet zo zeiken. Zoals de onvergetelijke Cher ooit zei: als je niet bereid bent om op je bek te gaan, zul je ook nooit de kans krijgen om fantastisch te zijn.'

Het hielp. Artie stopte meteen met hyperventileren, Tina voelde zich alsof ze haar zus van zich af geduwd had en Kurt en Mercedes knikten. Rachel had gelijk.

'Jullie moeten zo op,' siste Jakob na het optreden van de tweemansband genaamd Wraakzuchtige Uitroeiing. 'Hup, gó!'

Rachel wachtte geen seconde en de rest volgde haar het donkere podium op. Ze zagen dat er weinig publiek was: voornamelijk ouders, een handjevol docenten en een paar dozijn leerlingen. Rachel zag meteen haar vaders zitten. Haar vader Jonathan hield zijn kleine camcorder voor zijn gezicht.

Maar ze zag Finns gezicht nergens. Hij zou toch wel komen opdagen? Hij gaf genoeg om Rachel om haar te waarschuwen voor een mogelijke aanval van de Cheerios, dan zou hij toch komen om te checken of alles wel goed ging? En misschien, heel misschien, zou hij haar zien zingen op het podium en herinnerd worden aan die dag in de aula dat er iets tussen hen ontstaan was.

De muziek begon. Het spotlicht klikte aan en ze begonnen te zingen. De mystieke rook zweefde om hen heen en Rachel was trots op Tina dat ze hun optreden zo'n professioneel effect had gegeven. *'Only you / You're the only thing I'll see.'*

Niemand zag een paar Cheerios langs de zijkant van de aula rennen en achter het toneel glippen. Ze klonken... redelijk. Niet geweldig, maar ook niet slecht, en in elk geval stukken beter dan toen Rachel nog niet meezong. Na het eerste couplet lieten ze zich wat gaan en klonken ze nog beter.

Maar de rook werd best wel dik. Tina had J-Fro op het hart gedrukt dat hij de machine met tussenpozen van tien seconden aan en uit moest zetten om het luchtig te houden. Maar het podium vulde zich met rook alsof hij het vergeten was. Tina struikelde bijna over Arties voetsteunen terwijl ze probeerde de choreografie te dansen die ze met Rachel geoefend hadden. Het werd lastig om nog goed te kunnen zien.

Rachel zong dapper door, en kneep haar ogen fijn zodat ze achter de coulissen kon kijken. Jakob stond weliswaar bij de rookmachine, maar hij was niet alleen. Naast hem stond Brittany in haar korte Cheerios-pakje. Haar blonde haar viel over haar schouders. Met een gebaar dat ze alleen had kunnen afkijken van een bierreclame stiftte ze haar lippen in superslowmotion. Jakob was totaal betoverd.

Rachel bedwong een hoestbui. Tina zong niet meer en schraapte haar keel. Rachel gebaarde met haar handen dat ze naar voren moesten, waar misschien minder rook was.

Dat had ze niet moeten doen. Kurt zag de rand niet en viel prompt van het podium af. Met een enorm kabaal klapte hij bovenop het drumstel in de orkestbak. Artie reed over Tina's voet. Ze gilde het uit, en Mercedes wilde Kurt helpen maar viel voorover en gleed over het podium.

'*Tonight, tonight, it all began tonight,*' Rachel was de enige die – schijnbaar niet van haar stuk te brengen – de laatste regel van het lied nog kon zingen. Haar uitgebreide stemtraining droeg ongetwijfeld bij aan het feit dat ze ondanks de rook had kunnen doorzingen. Maar het gaf haar geen goed gevoel.

Achter in de aula lag een groep Cheerios en footballspelers dubbel van het lachen. Het hoge gegiechel van de cheerleaders was te horen boven het beleefde applaus van het publiek uit. De jocks klapten spottend heel hard in hun handen.

De Glee-kids, minus Kurt, haastten zich de coulissen in, tot op het bot vernederd.

Ook Kurt vluchtte uit de orkestbak naar de zijkant van de aula en struikelde bijna over de muziekstandaarden. Rachel had het gevoel dat haar leven zich in slowmotion afspeelde terwijl ze achter de anderen aan het podium verliet en met haar handen wapperde om de rook voor haar gezicht te verjagen. Ze was vaker uitgelachen, dat was niets nieuws. Maar de andere Glee-kids waren niet gewend aan de prijs die je moest betalen als je op het podium wilde staan. Zij hadden niet de ijzeren ruggengraat die Rachel met de jaren ontwikkeld had. Zij was eraan gewend om gewoon diep adem te halen en vol te houden. Maar na een week met de Glee-kids wist Rachel dat zij zeer waarschijnlijk zouden vluchten en hopen dat ze voorgoed van de aardbodem konden verdwijnen.

Rachel was bang dat Glee gedoemd was te sterven.

Muzieklokaal, maandagochtend

Rachel had zichzelf het hele weekend gegund om lekker veel zelfmedelijden te hebben voordat ze zondagavond de club per sms had opgeroepen voor een noodvergadering in het muzieklokaal de volgende morgen. Ze had het hele weekend met niemand anders contact gehad, zo vernederd was ze geweest door de afgang van Glee dankzij de rookactie van de Cheerios. Ze had het hele weekend op de bank gelegen in haar flanellen pyjama en *A star is born* en *Grease* gekeken terwijl ze popcorn naar binnen werkte tot ze zich wat beter voelde.

Het optreden was verschrikkelijk geweest en ze hadden hun lied niet eens kunnen uitzingen voordat ze de longen uit hun lijf kotsten. Maar Rachel had de opname bekeken die haar vader gemaakt had voordat hij de zaal had verlaten vanwege de rook – hij had astma – en ze had ook gezien hoe de andere acts waren. De jazzband was op z'n zachtst gezegd middelmatig en de drie jongens die geprobeerd hadden om het laatste Fray-liedje te zingen terwijl ze af en toe min of meer toevallig de goede snaren op hun gitaren wisten te raken, waren niet veel beter geweest. De twee leden van Wraakzuchtige Uitroeiing waren jocks, allebei aanvaller in het voetbalelftal. Het geringe publiek dat in de zaal zat, had na hun optreden enthousiast geapplaudisseerd: de ouders omdat de herrie eindelijk was opgehouden en de leerlingen omdat ze altijd wel wilden klappen voor iedereen die wist waar het leukste feestje van het weekend was.

Zodra Rachel het muzieklokaal inkwam en de depressieve hoofden van de andere Glee-leden zag wist ze dat ze bergen moest gaan verzetten. 'Oké,' zei ze opgewekt, 'misschien ging onze act niet zoals we gehoopt hadden, maar het was helemaal geen slecht begin.'

'Was je er überhaupt bij vrijdag?' vroeg Kurt, en hij sprong uit zijn stoel. Hij had een donkere zonnebril opgezet in de hoop dat de footballjongens hem niet zouden herkennen en deed hem nu af.

'Ik weet dat het geen ideaal optreden was,' ging Rachel verder, 'maar ik heb een opname van de voorstelling gezien en we waren echt goed.' Ze snoof de lucht, het leek wel alsof ze nog steeds rook kon ruiken. 'Bijna tien seconden.'

'Tien seconden!' riep Mercedes uit. Toen ze die ochtend door de school liep, leek het alsof iedereen over haar stond te fluisteren. Ook al was er bijna niemand komen kijken, iets waar ze nu heel erg dankbaar voor was, wist ze dat de Cheerios de hele wereld vertelden welke grap ze hadden uitgehaald om Glee belachelijk te maken. 'Moeten we daar blij van worden?'

Artie en Tina keken elkaar aan. Kurt en Mercedes keken naar Rachel alsof ze haar wilden afmaken. Maar Artie merkte dat hij onder de indruk was van Rachels olifantenhuid. Ze droeg een geel-met-bruingeruit rokje, een witte coltrui, kniekousen en een bruine baret. Ze zag eruit als een Parijse verzetsstrijder, eigenwijs en vastberaden, die de hele wereld wel aankon. Hij keek opzij naar Tina, die naast hem zat en in haar Starbucks-beker staarde.

'Maar zoals Cher zei...,' Rachel deed haar handen bij elkaar.

'Ik zit niet te wachten op een inspirerende peptalk,' onderbrak Mercedes haar. 'Ik weet niet waarom we naar jou hebben geluisterd.' Ze schudde haar hoofd. 'Jij mag het dan prima vinden om voor lul te staan maar je had ons niet moeten meesleuren in je val.'

'Ik?' piepte Rachel. Ze keek naar alle Glee'ers en zag voor het eerst dat ze allemaal woest waren op haar. Háár. Na alles wat ze had gedaan om Glee naar de top te brengen was dit haar dank. Wat een dankbaarheid.

'Als jij ons met je nietsontziende ambitie niet zo hard gedrild had, waren we niet doorgegaan. Dan hadden we onszelf

111

nooit voor gek gezet op het podium.' Kurt schroefde zijn waterflesje open en nam een slokje. Het stressvolle weekend had z'n tol geëist van zijn huid en hij voelde een enorme puist in zijn linkerwang opkomen. 'Dan waren we al veel eerder afgehaakt.'

'We kenden onze grenzen tenminste nog toen jij niet meedeed.' Artie deed eindelijk een duit in het zakje. Hij vond dat Kurt en Mercedes op zijn minst deels gelijk hadden. Rachel mocht dan van zichzelf weten dat ze geboren was om te schitteren op het podium, maar dat betekende niet dat ze dat voor de rest van de club ook kon bepalen.

'Dat is niet eerlijk.' Rachel had het gevoel alsof ze een klap in haar gezicht had gekregen. Was zelfs Artie boos op haar? 'Ik heb jullie een schop onder je kont gegeven en gedrild omdat jullie dat nodig hadden.' Rachel geloofde niet dat je iemand te hard kon drillen; of je ging harder werken, of je bezweek onder de druk.

Ze snapte ook wel dat het ergens een klein beetje haar schuld wás, de afgang in de aula, maar ze ging dat niet zomaar toegeven, niet eens aan zichzelf. De waarheid lag ergens onder in haar onderbewustzijn begraven: Finn Hudson had haar gewaarschuwd en zij had besloten om de waarschuwing te negeren. Als ze had doorverteld dat de Cheerios een aanval op Rachel planden had Tina misschien ingezien dat hun 'cadeau' van de rookmachine niet gegeven was uit liefde, maar uit jaloerse haat. Rachel was alleen niet het type om te graven in haar onderbewustzijn. Zeker niet als daarmee haar medeplichtigheid werd opgerakeld.

Dus draaide ze zich om naar Tina. 'Je hebt die rookmachine helemaal niet zomaar gevónden tijdens de vergadering, toch?'

Tina's ogen werden zo groot als schoteltjes. 'N-n-nee, Santana gaf hem aan me.'

'En dat vond je niet vreemd?' Rachel gooide wanhopig haar handen omhoog. Hoe kon Tina toch zo goedgelovig zijn? Had ze dan nog steeds niet door dat de hele school zo strak was ingedeeld in groepjes op verschillende treden van de sociale ladder dat iemand van het bovenste groepje nooit, maar dan ook nooit, iemand van het laagste groepje zou helpen, en zeker niet een Glee-lid? 'Dat een Cheerio ineens interesse had in een optreden van Glee?'

'Ik stond er niet bij stil, oké?' Tina staarde naar de neuzen van haar zwarte sneakers. 'Ik dacht dat ze gewoon aardig deed.'

'Aárdig?' Rachel schudde woest met haar hoofd. 'Als jij niet zo hard geprobeerd had om erbij te horen in die vergadering van de hersendode gewetenloze Cheerio-trutten, zaten wij nu niet in de puree.'

'Hé, dat is gemeen,' zei Artie en rolde naar Rachel. 'Je mag het Tina niet kwalijk nemen dat ze niet weet hoe vals de Cheerios kunnen zijn.'

Rachel draaide van frustratie haar ogen weg. Ze had het gevoel dat de grond onder haar voeten uiteen begon te vallen. 'Nou, wat een verrassing dat je opkomt voor je vriendinnetje. Alsof niemand doorheeft dat je haar leuk vindt.'

'Nu ga je te ver.' Mercedes sprong uit haar stoel en liep dreigend op Rachel af. 'Hebben jouw pappies je geen manieren geleerd?'

'Je bent gewoon jaloers op mijn talent.' Rachel had het gevoel dat ze met haar rug tegen de muur stond. Ze kon toch niet toestaan dat ze haar zo kleineerden? Iedereen gaf haar de schuld en dat was gewoon niet eerlijk. 'Dat ben je al vanaf dag één.'

'Oh mijn god.' Mercedes ging weer zitten. Ze deed haar handen over haar ogen. Als ze Rachel niet zag zou ze haar misschien niet willen kelen, zoals nu. 'Op welke planeet zijn we beland? Zei ze dat echt tegen me?'

'Ja, ik denk het wel.' Kurt kruiste zijn armen over elkaar.

'Luister, jullie zijn allemaal kwaad omdat ik de waarheid niet mooier maak dan hij is. Maar Cher had gewoon gelijk. Als je niet bereid bent om op je bek te gaan, word je nooit een performer.' Ze was ineens verdrietig en schudde haar hoofd. 'En jullie zijn geen performers. Het kan jullie veel te veel schelen wat andere mensen van je vinden. Wat zonde is van je energie en je leven.' Ze wilde net Olivia Newton-John citeren maar besefte dat het geen bal meer uitmaakte wat ze zei. 'Maakt niet uit. Ik zal jullie Glee Club niet langer verpesten met mijn aanwezigheid. Ik ga auditie doen voor scholen voor zang en dans en daar heb ik jullie niet voor nodig.' Na die woorden draaide ze zich om op de hak van haar schoen en stampte boos het lokaal uit. Als Rachel ergens goed in was, was het dramatisch weglopen.

Omdat het deze week homecoming-week was, had elke dag van de week een thema. Maandag was jarenzeventigdag, en ze liep langs een groepje Cheerios in soulpijpen, hippieblouses en obsceen korte minirokjes. Ze gniffelden naar Rachel en een meisje siste: 'Mooi gezongen, loser.'

Rachel stapte resoluut door in de richting van het decanenkantoortje. Deze keer liet ze zich niet met mooie praatjes wegsturen door de decaan.

'Mevrouw Pillsbury?' Rachel spotte mevrouw Pillsbury in de gang. Ze droeg knalblauwe rubberen handschoenen en schraapte een stuk kauwgom van het glazen raam van haar kantoortje. 'Ik ben klaar voor de aanmeldingsformulieren van de scholen voor zang en dans.'

'Rachel, weet je het zeker?' Mevrouw Pillsbury schraapte het stukje kauwgom van het glas, liet het liggen op het plamuurmes dat ze speciaal voor dit soort gebeurtenissen in haar bureaula bewaarde, en droeg het door de gang naar een prullenbak. Nu had ze de Glassex nodig om de smerige vlek weg te poetsen die op het glas was achtergebleven, maar Rachel stond erg verwachtingsvol te wachten. De decaan begreep dat ze nu haar opperste best moest doen om Rachel ervan te overtuigen dat ze de sprong niet moest wagen, maar ze had er de energie niet voor. Niet met die vlek op haar raam.

'Tweehonderd procent.'

Mevrouw Pillsbury zuchtte even en liep haar kantoortje in. Met haar handschoenen nog aan pakte ze een stapel formulieren van een map op een plank en overhandigde de stapel aan Rachel. 'Het ziet ernaar uit dat de meeste aanmeldingen al snel ingeleverd moeten worden als je dit najaar nog wil overstappen.' Mevrouw Pillsbury greep de Glassex en voelde schuldgevoel opkomen. 'Als je er nog over wilt praten, voel je vrij om straks even langs te komen.'

'Bedankt.' Rachel drukte de formulieren tegen zich aan als een reddingsboei terwijl ze door de drukke gangen van de school een weg zocht naar haar kluisje. Een van die formulieren was straks haar ticket om hier weg te komen, en het was hoog tijd dat ze dat ticket ging inwisselen. Ze keek hoe een jongen in een postbodejas een kleinere jongen tegen een rij kluisjes ramde en vervolgens een slok van zijn slushie nam alsof er niets aan de hand was. Natuurlijk had iedere school een sociale rangorde, maar het was vast niet overal zo idioot dom als op McKinley High. Wat zou het geweldig zijn als je status afhing van talent, dan heerste ze over de school als een koningin.

Toen zag ze hem. Finn. Hij leunde tegen zijn kluisje, een dik wiskundeboek in zijn hand. Zijn haar was nog nat van het douchen en hij droeg een grijs t-shirt dat was gaan rafelen in de hals.

Rachel stond stil. Precies op dat moment keek Finn op. Hij zag haar en glimlachte even voordat hij zich omdraaide en wegliep.

In haar razernij sinds het optreden was ze Finn helemaal vergeten. Van McKinley gaan betekende dat ze geen kans meer maakte met Finn. Zelfs als de kans heel groot was dat ze nooit zou weten hoe het was om met hem te zoenen, was de kans natuurlijk helemaal nul als ze van school af ging. Maar van school gaan was waarschijnlijk haar beste optie als ze ooit zangeres wilde worden. Iedereen wist dat je gevormd werd in je tienerjaren; wilde ze nou echt die jaren verpesten door weg te kwijnen op McKinley terwijl ze op een andere school aan haar talent kon werken?

Maar wat als wegkwijnen op McKinley haar enige mogelijkheid was om iets met Finn te krijgen?

De radartjes van haar hersenen begonnen te draaien. Misschien was de Glee Club niet dood. Als er een manier was om in leven te blijven – om de club beter en sterker te maken – en iedereen op McKinley te laten zien hoe goed ze waren, misschien kon ze dan blijven.

Het zaadje van een idee werd in haar hersens geplant. Het homecoming-feest. De hele school zou in de gymzaal zijn. Klaar om versteld te staan.

Maar dat kon ze niet in haar eentje. Ze had de rest van de Glee Club nodig, wat nogal lastig zou worden aangezien ze haar op dit moment allemaal haatten.

Maar ze zou Rachel Berry niet zijn als ze het opgaf in moeilijke tijden, hoe onmogelijk moeilijk die tijden ook waren.

Footballtraining, dinsdag na school

'Schiet op Brit. Je lijkt vandaag wel een oma. Ik heb gebruikte slipjes die frisser zijn dan jouw dansjes,' gilde Coach Sylvester door haar witte plastic megafoon. 'Goed, jullie hebben totaal geen pauze verdiend, maar als ik jullie nu niet laat uitrusten krijg ik Maatschappelijk Werk weer op mijn dak en ik zit niet te wachten op onderhandelingen met mensen in C&A-pakken. Vijf minuten rust.' Vol walging schudde Coach Sylvester haar hoofd. Ze was altijd extra veeleisend in de week voor de homecoming-wedstrijd. Het McKinley High-footballteam was bagger, dat was bekend, en Coach Sylvester genoot ervan om de Cheerios eraan te herinneren dat zij de echte sterren van de wedstrijd waren.

Quinn gaf geen moer om de sadistische grapjes van Coach Sylvester. Ze wist dat ze het goed gedaan had. Heel goed zelfs. Dat kwam omdat ze supernijdig was, haar woede was de olie op het vuur van haar achterwaartse salto's.

Ze pakte haar handdoek van de bank en depte haar nek droog. Ze had de hele tijd naar Puck aan de overkant van het veld gekeken, wat haar woede versterkt had en waardoor ze haar lichaam met nog meer kracht en snelheid in de lucht lanceerde. Na de afspraak in de bezemkast had ze de hele week gewacht op een vervolg. Maar hij had helemaal niet meer geprobeerd om met haar alleen te zijn en Quinn voelde zich afgewezen. Ook al wist ze dat ze een dom spelletje speelden met zijn tweeën, wilde ze nog niet dat het echt afgelopen was.

Oké, ze had inderdaad zelf tegen hem gezegd dat het afgelopen moest zijn, maar ze had niet echt verwacht dat hij het dan ook meteen zou opgeven! Was zij echt alleen maar een leuke afleiding geweest? Had Puck gewoon geprobeerd om

117

haar te verleiden omdat zij voorzitter van de Onthoudingsclub was en hij het grappig vond om te kijken of hij haar op
kon hitsen? Bij de gedachte alleen al kookte ze van woede.

Aan de overkant zag ze Pucks groepje een oefening afronden.
Football zag er zo makkelijk uit, veel makkelijker dan *cheeren*.
De spelers renden rond op een gigantisch veld en probeerden
een bal te vangen of voor anderen te gaan staan die de bal wilden hebben, en ze droegen hele dikke bescherming, alsof ze baby's waren. Een Cheerio moest daarentegen elke spier in haar
lichaam gebruiken terwijl ze door de lucht vloog. Hun timing
moest foutloos zijn, anders stortte de hele piramide gewoon in
elkaar. Ze zou die footballspelers wel op elkaars schouders willen zien staan. Eens kijken of ze dan nog konden lachen.

Voordat ze het wist was Quinn al halverwege het veld op
weg naar de bank. Op weg naar Puck. Ze zag Finn – de lang-
ste jongen van de school kon je altijd goed spotten – in de buurt
van de end zone. Hij was de wide receivers aan het drillen, een
voor een hun rugnummers roepend en de bal naar ze gooiend,
en Quinn voelde plotseling tederheid voor de jongen die zo
hard aan het trainen was voor de homecoming-wedstrijd.

'Gefeliciteerd.' Puck zat met zijn rug naar Quinn en ze
leunde naar voren en zei het heel hard in zijn oor.

Hij draaide zich om en grijnsde naar Quinn zoals ze daar
stond in haar Cheerios-uniform. In elke andere situatie zou
zo'n kort rokje echt schandalig hoerig zijn, maar omdat het
een uniform was, zag het er vreemd genoeg braaf en ouderwets uit. En geil. Quinn had een lange paardenstaart, zoals altijd als ze repeteerde, en haar kleine sexy oortjes staken uit.
Puck wilde dat hij er een in zijn mond had en dat hij er aan
zoog als een lolly.

'Waarmee? Zag je die aanval?' Hij kneep zijn ogen dicht
tegen de zon.

'Nee, ik bedoel gefeliciteerd dat je naar het homecoming-
feest gaat met Santana.' Quinns stem klonk kortaf, alsof ze
probeerde zichzelf te bedwingen. 'Jullie zijn vast een schattig
stel samen.'

Puck pakte een T-shirt van een teamgenoot en veegde het zweet van zijn voorhoofd ermee af. 'Weet je dat nu al?'

'Natuurlijk. Santana kon er de hele repetitie haar bek niet over houden.' Quinn gooide haar paardenstaart over haar schouder. Santana was voor de repetitie in de kleedkamer op haar vriendin afgestormd en had haar armen om Quinn gegooid, ook al had die net haar T-shirt uitgedaan en stond ze in haar sportbeha. 'Hij heeft me gevraagd!' had Santana gepiept en Quinn was een seconde blij, totdat ze besefte dat Santana bedoelde dat Púck haar gevraagd had. Santana had de hele tijd met een tevreden glimlach gerepeteerd en, zodra ze de gelegenheid had om met Quinn te praten had ze dingen gezegd als: 'Ik durf te wedden dat hij heel goed kan zoenen.' Of: 'Ik vraag me af of hij een bos bloemen voor me meeneemt.'

'Hé, je bent toch niet boos op me? Omdat ik naar het feest ga?' Puck bekeek Quinn eens goed. Ze had felrode wangen, van het repeteren of omdat ze zich over hem had lopen opwinden. Wat hij eigenlijk wel leuk vond. Misschien had ze spijt van haar besluit om te wachten tot die sukkel van een Finn de moed had verzameld om haar voor het feest te vragen.

'Ik dacht dat je zei dat je een hekel had aan Santana,' beet Quinn hem toe. Een paar spelers kwamen op de bank af om hun waterfles te pakken en keken nieuwsgierig naar Quinn. 'Je zei dat haar stem zo erg was dat je hersenen erdoor zouden ontploffen.'

'Ja, maar ze is ook hot.' Puck haalde zijn schouders op, en greep naar zijn helm. 'En beschikbaar.'

'Ik geloof je niet.' Quinn probeerde weg te kijken maar verloor zich in zijn donkerbruine ogen. Ze voelde de vertrouwde dubbele salto in haar buik – iets wat ze nou nooit bij Finn voelde, hoe graag ze dat ook wilde. Over sommige dingen kun je niet liegen.

'Ik geloof je niet,' zei Puck haar na. 'Ik had jou voor het feest gevraagd, of ben je dat vergeten? En jij hebt me afgewezen, weet je nog?'

Quinn voelde de woede weer als hete lava stromen. Haar

woedeaanvallen hadden altijd een beetje voor problemen gezorgd. In de tweede klas had Mindy Johannes haar nagels zitten doen voor een wedstrijd en per ongeluk een druppel nagellak op Quinns Cheerios-uniform laten vallen. Quinn had de fles Roze Bloem afgepakt en hem helemaal leeggegoten in Mindy's nep-Gucci-tas. Het was niet haar bedoeling, ze had er niet eens over nagedacht terwijl ze het deed. En nu voelde ze zich precies zo. Het maakte niet uit dat Puck zo rustig en realistisch was, dat maakte het alleen maar erger. Natuurlijk had hij gelijk, het was allemaal haar eigen schuld.

Maar toch had ze zin om hem te slaan. Om die grijns van zijn smoel te meppen. En misschien hem daarna te zoenen.

'Weet je nog?' vroeg Puck, en kwam dichterbij. Quinn sloot haar ogen, en dacht aan de bezemkast. Zelfs de geur van boenwas was sexy met Puck in de buurt. Dit was het. Dit was het moment dat ze zich door Puck zou laten zoenen waar het hele footballteam bij was, en alle Cheerios, en de rest van de wereld. Finn zou het te weten komen en dan kon hij misschien naar het feest met Santana, als troostprijs, terwijl zij met Puck danste, een *slow dance*.

'Hoi! Wazzup?'

Quinns ogen vlogen open. Finn stond tussen ze in en sloeg Puck op zijn rug. Hij keek zo onwetend en zo oprecht dat ze zich schuldig voelde. Toen keek Finn naar Quinn. 'Ik zag je ineens hier staan. Ben je klaar met repeteren?'

Quinn dwong zichzelf om alleen maar op Finn te letten. Laat Puck maar jaloers kijken. 'Nee, ik heb rust.' Gewaagd legde ze haar hand op Finns rug. 'Het zag er goed uit net.'

Finn lachte schaapachtig. Hij was het soort jongen dat met zijn hele gezicht lachte en niet alleen met zijn mond. Hij was aardig, dacht ze bij zichzelf. Ze wilde toch een aardige vriend? 'Luister, ik wil je vragen,' begon Finn. 'Wil je... wil je naar het homecoming-feest? Ik bedoel, met mij?'

Quinn glimlachte. Eindelijk was het zover. Hier had ze op gewacht. Ze kon het niet laten om even naar Puck te kijken, die met een been op de bank leunde en zijn hamstrings stretchte. 'Ja, natuurlijk. Ik zou het geweldig vinden om met jou te gaan, Finn.'

Puck gaf geen krimp.

'Cool,' zei Finn. 'Ik wil je wel ophalen met de auto van mijn moeder maar ik denk dat alle jongens zich in de kleedkamers omkleden voor het feest.'

'Dat maakt niet uit.' Quinn wond een lok haar om haar vinger. 'Ik ga me bij Brit omkleden.'

'Cool,' zei Finn weer. 'Dus ik zie je bij de gymzaal? Om negen uur?'

'Top.' Quinn spinde bijna als een poes. Nog steeds geen re-actie van Puck. Hoe kon hij zo koel blijven? 'Weet je wat ook top zou zijn? Als we in de *hot tub* van mijn ouders gingen na het feest. Misschien kunnen we stiekem een paar breezers naar binnen sneaken.' Quinn geloofde haar eigen oren niet. Ze was nog nooit zo opdringerig geweest. Jongens dachten 24x7 aan seks en meisjes moesten ze juist een beetje afrem-men. En nu stond ze Finn gewoon op te geilen.

Maar het had gewerkt. Ze zag dat Puck opkeek. Hij zag er pissig uit. Alsof hij iets, iemand, wilde slaan.

'Dat klinkt goed.' Finn was natuurlijk helemaal opgefokt. Quinn Fabray nodigde hem uit in een hot tub? Het feest was vast leuk, maar de hot tub zou nog leuker worden.

'Goed.' Ze hoorde het fluitje van Coach Sylvester en liep terug over het gras. Quinn wuifde naar Finn en negeerde Puck. 'Ik moet weer aan de slag,' zei ze. Ze draaide zich om en voelde dat de jongens haar allebei nakeken.

Ze had ze allebei precies waar ze hen hebben wilde. Puck mocht dan met Santana naar het feest gaan, maar hij zou bij Quinn willen zijn.

20

Gang van McKinley High, woensdagmorgen

'Ga je mee wat te drinken halen?' vroeg Kurt aan Mercedes die voor haar geopende kluisje stond. IJverig smeerde Mercedes lipgloss met druivensmaak op haar lippen terwijl ze in het kleine spiegeltje keek in de deur van haar kluisje. 'Ik heb duidelijk mijn schoonheidsslaapje gemist en kan wel een opkikker gebruiken.'

Mercedes keek op haar telefoon hoe laat het was. 'Gelukkig hebben we Horn.' Ze hadden het eerste uur les van meneer Horn, die alom bekend stond als de meest relaxte leraar van de school. Horn had in de jaren zeventig zoveel geblowd dat hij meestal wegdroomde en er geen probleem mee had als je te laat was of tijdens de les het lokaal uit liep, zolang je het maar 'in vrede' deed. Hij had een scheurkalender achter zijn bureau die de dagen tot aan zijn pensioen telde, en elke dag scheurde hij een blaadje af en gooide dat in de prullenbak. Hij was vier keer achter elkaar gekozen tot Docent van het Jaar.

'Ik heb echt een shot cafeïne nodig.' Kurt bekeek zichzelf in het raam van het decanenkantoortje terwijl ze langsliepen. Hij verbeterde zijn haar. 'Mijn x-factor is nergens te vinden.'

'De mijne ook niet. Serieus.'

'Goede show was dat vrijdag!' Een footballspeler met een enorm dikke nek parkeerde lachend zijn schouder in Kurts borstkas en ramde hem tegen een rij kluisjes aan. 'Jullie waren fantástisch.'

'Bedankt,' mompelde Kurt, en veegde zijn kleren af. Het was irritant dat Rachel die jongens een excuus had gegeven om Kurt lastig te mogen vallen. 'Ik vond het minder erg toen ze me zomaar in de container gooiden. Ik haat het dat ze nu een reden hebben om me belachelijk te maken.'

Mercedes deed Kurts kraag weer goed. 'Kunnen mensen niet over iets anders praten? Zo boeiend zijn we nou toch ook weer niet?'

'Ik weet het niet. Ik heb het gevoel dat de spotlights op ons gericht staan omdat Rachel in Glee zit. We zijn geen onopvallende nerds meer die onder de radar kunnen blijven.' Het leek wel alsof Rachel bij iedereen een reactie opriep.

'Ik wist dat dit ging gebeuren.' Mercedes zei nog net niet: *ik heb het je gezegd*, maar dat was wel wat ze bedoelde. 'Rachel is gewoon een diva die over lijken gaat.'

Ze kwamen aan in de kantine waar de hele dag een kleine snackbar open was voor suikershots en cafeïneshots. Lima negeerde de campagnes voor gezonde voeding en minder suiker op school. De leerlingen bleven trouw aan vet, koolhydraten en slushies (helaas voor de nerds).

Kurt knikte bedachtzaam terwijl hij met een grote boog de dreigend zoemende slushiemachine en de toren plastic bekers ernaast omzeilde. 'Misschien hadden we haar niet bij Glee moeten vragen. We werden allemaal gek van haar.'

Hij voelde zich schuldig over de hele affaire. Het was zijn idee geweest om Rachel erbij te vragen en hij was nog steeds niet overtuigd van zijn ongelijk. Toen hij klein was, was hij naar een tenniskamp in New York gegaan. Kurt had foto's van allemaal gespierde tennisspelers in witte korte broeken gezien en zijn vader wilde deze onverwachte belangstelling voor een sport graag stimuleren. Zijn tennisleraar – Stefan, lang, jong, met goudkleurig haar en een backhand als een oceaangolf – vond dat hij moest spelen tegen kinderen die beter waren. 'Zo word je sneller beter,' had Stefan gezegd terwijl hij zijn racket omhoog zwiepte en de bal over het net smashte. Kurt had de hele dag naar Stefan kunnen kijken. Maar goed, Rachel wilde ook dat iedereen beter werd. 'Toch vind ik...'

'Nee.' Mercedes hield voet bij stuk. Ze boog om een bosbessenmuffin beter te bekijken. 'Het is voorbij.'

'Goedemorgen, McKinley High!' Er klonk wat ruis door de luidsprekers voordat Rachels stem verder ging.

'Als je over de duivel spreekt, dan trap je op zijn staart,' fluisterde Mercedes gewichtig, en maakte een spookachtig gebaar met haar vingers.

Kurt pakte een plastic beker. Er stond een afbeelding van een beker op, wat Kurt nogal overdreven vond. Hij wist dat het een beker was, daarom had hij hem toch gepakt?

Rachels stem was weer te horen. 'Wij mogen het meisjesvoetbalelftal feliciteren met een 5-1 overwinning op de Maryvale Flyers. Verpletterend! De Franse Club wordt eraan herinnerd dat ze vandaag na school bij madame Smith bijeenkomen. Zij zorgt voor de *baguettes* en de *chocolat*.'

Mercedes trok vol walging een vies gezicht toen Rachel in 'Wednesday Week' van Elvis Costello uitbarstte. Hoe kwam ze aan die slechte smaak? Naar Rachel luisteren was sowieso het laatste waar Mercedes zin in had, maar Elvis Costello? Een wrede en ongebruikelijke straf, dat was het. Misschien moest ze een protestbrief schrijven naar rector Figgins tijdens de les van meneer Horn. Liever mevrouw Applethorpe dan Rachel.

'Nu heb ik een persoonlijke mededeling,' klonk Rachels stem.

'O, dat kind is echt *too much*,' Mercedes deed haar handen over haar oren.

'Als ze gaat vertellen dat ze ongesteld is, val ik flauw,' zei Kurt en drukte op de COLA LIGHT-knop van het gigantische zwarte apparaat waar de frisdrank uitkwam. De koude priklimonade spoot in zijn plastic beker.

'Ik wil graag mijn excuses aanbieden aan de Glee Club. Ik zat fout. Ik wil jullie allemaal de Rachel Berry Gouden Ster van de Week geven omdat jullie veel talent hebben en goede mensen zijn.'

Mercedes trok aan haar oor alsof er iets mee aan de hand was. 'Hoorde ik dat goed? Zei ze dat echt?'

Kurt knikte verbijsterd. 'Ik heb het ook gehoord.' Hij dacht niet dat Rachel Berry het type was om fouten toe te geven. Hij kon zich voorstellen dat ze zelfs zou beweren dat de makers van Triviant ernaast zaten als haar antwoord werd afgekeurd.

Rachel was nog niet klaar. 'Ik hoop dat we onze creatieve

meningsverschillen kunnen oplossen en dat we elkaar op het homecoming-feest weer zien. Een hele goede woensdag voor iedereen!'

Kurt en Mercedes keken elkaar aan. 'Dat was verrassend aardig van Rachel,' zei Kurt en haalde een briefje van vijf dollar uit zijn broekzak.

'Ik weet het. Het is raar. Ze is altijd zo met zichzelf bezig. Ik dacht dat zij nou niet bepaald het type was om het door te hebben als ze iemand kwetste,' zei Mercedes terwijl Kurt afrekende.

Kurt propte het wisselgeld terug in een zijvak van zijn koerierstas. 'Ben je bereid om je mening over het homecoming-feest te herzien?' vroeg hij, terwijl ze terugliepen naar het lokaal.

Mercedes was het cellofaan van de bosbessenmuffin aan het lospeuteren, maar hield ineens op. Haar hart klopte sneller. 'Hoezo? Jij wel?'

Kurt haalde losjes zijn schouders op. 'Misschien. Als je met me meegaat, tenminste.' Hij zag zichzelf al de gymzaal betreden met zijn prachtige Tom Ford-pak aan. Iedereen zou naar hem kijken en zich afvragen hoe hij toch aan die exquise kleren kwam. En zijn schoenen! Hij moest schoenen vinden die bij het mooie pak hoorden. Shoppen, vanmiddag nog.

'Oké.' Mercedes probeerde te doen alsof het niet belangrijk was, maar haar hart maakte een sprongetje van blijdschap. Het was ongelofelijk. Hij vond haar leuk! Nu hoefde ze alleen nog maar iets te vinden om aan te trekken. 'Goed. Ik ga met je naar het feest.'

Misschien kon een van Rachels plannetjes toch nog positief eindigen.

Gymzaal van McKinley High, donderdag na school

Donderdagmiddag kwam het Decoratieteam voor de tweede en laatste keer bij elkaar in de gymzaal. De Cheerios en de wannabes hadden twintig minuten lang als een bezetene rondgerend en in groepjes hun 'opdrachten' opgehangen en het resultaat was verschrikkelijk. De gymzaal zag er nog steeds uit als een gymzaal. Iemand had gouden kerstslingers om de ringen van de basketbalnetten gehangen waardoor ze eruitzagen als de wc-brillen met badstoffen bekleding die oma's altijd hebben. Iemand, misschien Brittany, had HOM-COMING gespeld met grote gouden kartonnen letters en die op de matten tegen de muur geplakt. Een palmboom van papier-maché stond een beetje scheef en verloren in een hoek van de zaal.

'Het ziet er niet uit!' riep Santana verbouwereerd. Ze had die week geen tijd gehad om haar opdracht uit te voeren. Niet dat ze daar iets aan kon doen. Ten eerste had ze enorm in de stress gezeten of Puck haar wel ging vragen voor het feest. Ze had alleen maar frites gegeten, zo erg was het! En toen hij haar eindelijk had gevraagd, moest ze over zoveel dingen nadenken: welke jurk ze moest kopen, welke oorbellen ze bij de V&D ging jatten, welk lingeriesetje ze aan wilde doen. Ze had niet meegedaan met het decoratieproject en gehoopt dat iedereen verder goed bezig was met decoreren.

Maar alle meisjes waren afgeleid geweest en er was dus geen klap gedaan om de gymzaal om te toveren tot balzaal. Kirsten Niedenhoffer masseerde haar slapen alsof ze een migraine-aanval voelde aankomen. 'Wie waren er verantwoordelijk voor het podium?' riep ze boos. Aan één kant van de gymzaal stond een laag platform. De randen waren met kerstslingers versierd. Op het podium stond een witte pergola die waarschijnlijk uit iemands tuin kwam. 'Het ziet eruit als een goedkope trouwlocatie.'

De meisjes keken elkaar ontwijkend aan tot een meisje antwoord gaf. 'Het spijt me, maar Coach Sylvester heeft ons de hele week keihard gedrild en we hadden echt geen puf meer voor iets anders.'

'We hadden het ook heel druk met stemmen verkopen voor de verkiezingen.' Een meisje, Annie geheten, keek verlangend naar het podium. 'We hebben hard gewerkt.'

'Ik heb een hot roze jurkje gekocht, heel kort, met een zwart korset van kant eronder. Dat gaat er dus vreselijk uitzien bij deze lelijke decoraties,' zeurde Brittany. 'Dan lijkt het jurkje gewoon hoerig.'

'Die júrk maakt de jurk hoerig,' fluisterde iemand, maar Brittany hoorde het niet.

'Wat gaan we doen?' vroeg Santana. Het was gemeen dat haar eerste afspraak met Puck in deze stomme gymzaal moest plaatsvinden. Zo onromantisch. Ze was van plan om met hem te seksen op de achterbank van zijn auto, maar hoe kon ze hier nou in de stemming komen? Ze moest steeds aan trefbal denken.

Alsof ze geroepen was, verscheen Tina in de deuropening. Ze droeg een grijs-met-witgestreept T-shirt op een zwarte legging. Met één arm hield ze een overvolle oversized vuilniszak tegen haar borstkas aangeklemd. Met haar andere arm sleepte ze een net zo'n grote tas achter zich aan. De tas ruiste met veel kabaal op de houten vloer en alle meisjes draaiden zich om en staarden naar Tina.

'Wie heeft die dakloze binnen gelaten?' vroeg Santana. Alle meisjes gierden het uit. Ze hadden dat Tina-kind nooit moeten toelaten. Ze had vast een slushie in haar gezicht gehad en kwam nu wraak nemen. Zeker tampons door de gymzaal gooien als in *Carrie*.

'Heb je de vuilnis meegenomen als decoratie?' vroeg Kirsten toen Tina voor ze stond. 'Is dat hoe jullie thuis de boel opleuken?'

'Het is geen v-v-vuilnis.' Voorzichtig zette Tina de zwarte tassen rechtop en maakte er een open. Nieuwsgierig leunden de meisjes op de tribunes naar voren om erin te kijken. Ze zagen tientallen, nee, honderden mooie gouden glittersterren. 'Ik heb ze meegenomen en beschilderd.'

Santana's mond viel van verbazing zo ver open dat haar tong bijna de grond raakte. 'Ze zijn geweldig.' Ze pakte een ster die bovenop lag. 'Wat heb je gedaan?'

Tina trok haar schouders op. 'Ik heb alleen de oude sterren opnieuw gespoten met gouden glitterverf.' Ze koos een ster uit en hield hem vast aan het doorzichtige plastic touwtje dat aan de bovenste punt zat vastgeknoopt. 'Vorige week zag ik ijzerdraad in een van de dozen liggen. We kunnen het ijzerdraad door de zaal spannen, als waslijnen, en de sterren eraan ophangen.'

Iedereen zag de gymzaal voor zich: donker, gouden sterren boven hun hoofden terwijl ze dansten. 'Dat zou er mooi uitzien,' gaf Kirsten toe.

'Dat weet ik,' zei Tina vol zelfvertrouwen, wat nieuw voor haar was. Een paar meisjes doorzochten de tassen en sorteerden de sterren op maat. Tina wendde zich tot Santana. 'O ja, jouw grap met de rookmachine was heel erg laag bij de grond. We probeerden gewoon een lied te zingen.'

Santana kneep haar ogen samen. 'Is dit een soort wraakactie ofzo? Heb je de sterren ingesmeerd met arsenicum?'

Tina zuchtte verveeld. 'Nee, ik heb die sterren zo mooi gemaakt om te laten zien dat ik me niets van jullie rotgeintjes hoef aan te trekken.' Ze lachte honend. 'Arsenicum zou trouwens alleen werken als je ze zou likken. Was je dat van plan?'

Kirsten rook aan de ster in haar hand. Hij rook niet naar gif. 'Dit is echt tof van je,' zei ze met maar een klein beetje sarcasme in haar stem. Hoewel dit Goth-kind niet zomaar ongestraft haar sociale meerderen kon beledigen, wist Kirsten heel goed dat ze de sterren hard nodig hadden voor het feest. Die palmboom in de hoek van de zaal ging het niet worden.

'Trouwens,' zei Tina met haar handen in haar zij, 'jullie zijn

128

zo kunstzinnig als een kudde voetballers. En jullie hebben homecoming alweer verkeerd geschreven.' Tina glimlachte vol trots. Ze had niet meer zo geglimlacht sinds ze haar beugel had gekregen, in groep acht.

Weer vielen de tongen tot de grond van verbazing. Tina voelde de trots opwellen in haar borst. Ze was voor zichzelf opgekomen en ze had niet eens gestotterd. En nu.... keek iedereen haar aan, in afwachting van verdere instructies. Van háár. 'Zet de ladders maar neer en begin met ijzerdraad spannen. Ik moet nog twee zakken met sterren uit mijn auto halen.'

Ze liep de zaal uit. Haar hele lichaam was geladen met energie. Het was gelukt! Ze had de Cheerios verteld wat ze moesten doen, en ze deden het gewoon! Dit moest ze aan Artie vertellen. Hij was nagebleven om aan de schoolkrant te werken, hij was bezig met een artikel over lifttoegankelijkheid voor rolstoelen. In plaats van naar het parkeerterrein, liep Tina naar de nieuwskamer.

Ze zag Artie door de glazen deur van de nieuwskamer. Hij zat druk te typen achter een pc. Ze bonkte met haar vuist tegen het raam en Artie keek op. Hij zag er schattig uit in zijn korte buttondown en Schotsgeruite spencer. Hij moest dringend naar de kapper. Artie kwam naar de deur.

'Hoi,' zei hij door de deur, en rolde zijn stoel de gang op. 'Ik dacht dat je de gymzaal aan het versieren was.'

'Ik moet nog twee zakken uit mijn auto halen.' Tina voelde dat ze bloosde. Het was eigenlijk een beetje gênant dat ze meteen naar Artie gerend was om te vertellen wat er gebeurd was.

'Vonden ze de sterren mooi?' vroeg Artie. Tijdens wiskunde in het achtste uur had Tina aan Artie opgebiecht dat ze zenuwachtig was voor het Decoratieteam. Hij luchtbokste met zijn vuisten. 'Heb je ze een lesje geleerd?'

Tina glimlachte. 'Dat heb ik zowaar gedaan. Toen ik de decoraties liet zien gingen ze bijna van hun stokje.' Ze grijnsde toen ze eraan terugdacht. 'En toen zei ik dat hun decoraties er niet uitzagen en dat hun geintje met de rookmachine gemeen was. Daarna heb ik ze verteld wat ze moesten gaan doen.'

'Wow.' Artie was erg trots op Tina. Ze was een van de tofste mensen die hij kende en hij werd verdrietig als hij zag dat ze gepest werd. 'Ik wilde dat ik erbij was om te zien hoe ze keken.'

'Je kunt de decoraties zien.' Ze keek hem verlegen aan. 'Als je naar het feest gaat, tenminste.'

'Ik denk dat Rachel gelijk had.' Artie roffelde met zijn vingers op zijn wielen. 'Ik bedoel, die keer dat ze zei dat de populaire *hot shots* niet bepalen of wij naar het feest mogen of niet.'

'Wil jij gaan?'

'Tuurlijk.' Ineens werd Artie zenuwachtig. Ging hij serieus naar een schoolfeest? Hij vroeg zich af wat Tina zou dragen, ongetwijfeld iets zwarts en moois. Hij wilde niet dat ze nu al wegliep naar haar auto. 'Wat vind je van Rachel? Van haar excuses aan ons? Trap je erin?'

Tina kauwde op haar wang. 'Ja, denk ik, misschien is ze niet z-z-zo erg als ze lijkt.'

'Het enige slechte aan haar was misschien dat ze in ons geloofde,' zei Artie en keek naar de vloer. 'Dat is niet het ergste wat je kunt doen.'

Tina glimlachte verlegen. 'Ik denk dat we haar wel kunnen vergeven.'

'Samen zijn nerds sterker.'

Ze vond het niet eens erg dat Artie haar een nerd noemde. Als hij het zei, leek het wel een compliment.

Het huis van Quinn, donderdagavond

'Hij is enig, schat,' zei Quinns moeder Judy en ze streelde de jurk met haar vrije hand; in de andere hand hield ze haar voor-het-slapen-glas pinot noir vast. De jurk hing aan een klerenhanger aan de deur van Quinns klerenkast. Ze hadden hem het weekend ervoor samen gekocht in een klein boetiekje in Dayton, nog voordat Quinn wist dat ze met Finn naar het feest zou gaan. 'Hij doet me denken aan de jurk die ik droeg naar het debutantenbal. Toen ik ook die maat had.'

Quinn keek naar de jurk vanaf de kaptafel waar ze zat. Hij *was* enig. Het was een botergele empirejurk met een *sweetheart*-decolleté en een wijde rok tot vlak boven de knie. Het was een supervrouwelijke jurk, stijlvol maar verleidelijk. Quinn Fabray was inmiddels kampioen geworden in jongens gek maken in keurige outfits. De dunne spaghettibandjes van zachtgeel lint zouden onschuldig de aandacht vestigen op haar onweerstaanbare blote huid. Ze kon nu al zien dat de jurk perfect was. De meeste meisjes op McKinley High hadden de neiging om te veel nadruk te leggen op hun beschikbaarheid door zich op te dirken in jurkjes die te kort waren en te veel beloofden. Quinn wist dat je mannen veel meer opwond door er zo puur mogelijk uit te zien, zodat ze zich gingen afvragen hoe ze je konden verleiden. Ze wist dat Puck gek zou worden van de jurk.

Maar ze ging naar het feest met Finn.

'Vertel me over die Finn, liefje.' Quinns moeder ging op de rand van Quinns *queensize* bed zitten. Ze duwde de teddybeer opzij waar Quinn mee sliep. 'Denk je dat je vader hem goedkeurt?'

Quinn draaide zich om op de kruk en keek naar haar spiegelbeeld. 'Keurt papa dan wel 's iemand goed?' vroeg Quinn, terwijl ze haar moeder aankeek in de spiegel. Haar vader tolereerde vriendjes, maar keurde ze nooit goed. Hij was de vriend van haar oudere zus Frannie pas bij de voornaam gaan noemen toen ze zich verloofd hadden. Finn, lang, knap, quarterback, werd ongetwijfeld wel getolereerd door haar vader. Ook al was Finn soms wat maf en praatte hij vaker met de nerds en de losers van de school dan per se nodig was, maar hij zag er uit als precies het soort jongen waar haar vader terughoudend over deed maar wel mee akkoord ging.

Puck, met zijn mohawk, gescheurde jeans, en brutale uitstraling zou niet eens verder komen dan de drempel van de Fabrays villa. Op zijn voorhoofd stond zowat GEVAAR getatoeëerd, en meneer Fabray zou een blik op Puck werpen en meteen de politie bellen.

'Hij houdt van jou, liefje.' Quinns moeder stond op en liep naar Quinn. Haar hoge hakken, die ze altijd droeg, wiebelden in het dikke crèmekleurige tapijt. 'Hij wil dat je heel erg gelukkig wordt.'

'Weet ik.' Quinn keek zo lang naar zichzelf in de spiegel dat het leek alsof haar gezicht niet meer van haar was. Haar honingblonde haar had nog steeds highlights van de zon na een zomer lang tennissen op de tennisclub en zwemmen in het openluchtbad, waar alle leuke jongens baantjes trokken. Ze probeerde zich voor te stellen dat het meisje in de spiegel gekroond werd op het homecoming-feest in een botergele avondjurk waarin ze extra bruin in leek. Dat was haar doel. Op het podium staan, naast Finn, haar knappe wederhelft. 'Ik ben het. Gelukkig, bedoel ik.'

'Mooi.' Haar moeder kuste Quinns achterhoofd. 'Je wordt een mooie homecoming queen.' Quinn zag in de spiegel haar moeder de kamer uitlopen.

Ze draaide het volume van het Lady Gaga-liedje omhoog op haar iPod zodat ze ernaar kon luisteren terwijl ze haar tanden poetste. Ze had medelijden met meisjes die moesten opgroeien zonder een eigen badkamer. Niemand zei ooit dat ze te lang douchte of geen bad mocht nemen. Maar soms voelde het best eenzaam in haar grote slaapkamer en grote badkamer. Misschien moest ze Santana bellen. O nee, die zou weer gaan zeuren over hoe ver ze zou gaan met Puck en daar had ze dus even helemaal geen zin in.

Quinn deed de gezichtsspieroefeningen met de crèmes uit Zweden, die haar moeder illegaal geïmporteerd had omdat de voedselwarenautoriteiten de crème nog niet hadden goedgekeurd. Haar moeder hamerde er de hele tijd op dat je rimpels alleen kon bestrijden als je ze nog niet had.

Terwijl Quinn haar tanden poetste probeerde ze zich voor te stellen hoe ze morgen tot queen werd gekroond. Winnen was een eitje, een paar Cheerios hadden al naar de stemmen gekeken en verteld dat er geen concurrentie was. En Finn zou naast haar staan. Perfect. Ze had zilveren sandalen met bandjes om haar enkels gekocht met negen centimeter-hoge hakken zodat ze niet zo klein zou lijken naast hem.

Ze trok haar witte satijnen pyjama aan en vroeg zich af hoe het zou zijn om te dansen met Pucks warme sterke handen op haar heupen. Ze kroop onder het dikke donzen dekbed en fantaseerde hoe het zou zijn als ze met Puck naar het feest ging. Iedereen zou in shock zijn dat Quinn met een jongen ging die zo'n slechte reputatie had. De roddelmachine zou overuren draaien, zelfs als er niets gebeurde. Quinn zou nooit meer het meisje van puur goud zijn.

Maar haar gezicht werd warm bij de gedachte aan Puck in een pak.

Net toen ze in slaap viel trilde haar telefoon op het nachtkastje. Ze tilde haar zijden slaapmasker op en staarde naar het scherm.

Kijk nr buiten, stond er, met als afzender Puck.

Droomde ze? Quinn ging rechtop zitten in haar bed. Ze hoopte dat dit een droom was. Ze gooide het dekbed van zich af en deed haar gordijnen open. Iets voorbij de oprit van hun huis, half verscholen achter de honderd-jaar-oude eikenbomen in de voortuin van de Fabrays, stond een zwarte Chevy Suburban.

Quinn hield haar adem in. Waar dacht Puck dat hij mee bezig was? Als haar vader een tiener met een mohawk naar hun huis zag gluren, hadden ze mazzel als hij alleen maar de politie belde. Puck moest maken dat hij wegkwam.

Quinn gleed snel in een paar zwarte ballerina's en deed de deur van haar kamer open. Haar hart bonkte in haar keel. De deur naar de ouderslaapkamer verderop in de gang was dicht. Ze hoorde het geluid van Jay Leno die zijn monoloog deed op de *Tonight Show*, en het diepe gesnurk van haar vader. Perfect. Ze kroop de trap af, en vroeg zich af waarom ze eigenlijk zo muisstil deed. Ze ging alleen maar naar beneden, daar was toch niets mis mee? Als ze iemand tegenkwam zou ze zeggen dat ze niet kon slapen en een glas magere melk wilde pakken.

Het was verbazingwekkend makkelijk om het huis uit te lopen, ontdekte Quinn. Eenmaal buiten was ze weer verbaasd, deze keer door het heldere maanlicht. De krekels tsjirpten in de struiken. Het was niet koud, eerder koel, en de lucht rook heerlijk fris. Haar schoenen maakten bijna geen geluid op het asfalt van de oprit. Ze deed de deur van de Suburban open en gleed op de passagiersstoel. 'Wat doe jij hier in godsnaam?' vroeg ze. Ze klonk bozer dan ze zich voelde. Ze was eigenlijk helemaal niet boos.

Puck had dat door, leek het wel. Hij maakte zijn lippen nat, leunde tegen zijn deur, en keek naar Quinn. 'Je hebt niet terug ge-sms't. Ik dacht dat je niet kwam.'

'Waarom ben je dan niet weggegaan?' vroeg ze. De auto rook een beetje naar rook en Febreze. Een oud Neil Diamond-liedje klonk op de radio. De auto was verrassend netjes. Ze had verpakkingen van MacDonalds verwacht, en lege Red Bull-blikjes. 'En waar luister jij naar?'

'Sorry.' Puck zette een andere zender op. Een Billy Joel-liedje stond op, wat een klein beetje beter was. 'Mooie pyjama.' Hij raakte Quinns knie aan.

Ze kreeg een schok door haar hele lichaam. Misschien kwam het door de satijnen pyjama. Maar toen ze rondliep op haar tapijt en de poes, Miss Cleo, aaide had ze geen schokjes

134

gekregen. Ze schoof opzij. 'Even serieus Puck. Wat doe jij hier?' Ze veegde een lok haar uit haar gezicht. 'Weet je wat er gebeurt als papa erachter komt? Of Finn?' Als ze daar aan dacht moest ze rillen, ze wilde Finn niet kwetsen, wat er ook gebeurde.

'Ik wilde alleen maar praten.' Hij droeg een zwarte v-hals met grijze strepen langs de zij en zag eruit alsof hij zich net geschoren had. Zijn kin was zijdezacht en zoenklaar.

Quinn voelde hoe ze weer bezweek. Ze wreef met haar handen over haar armen, ook al had ze het helemaal niet koud. Het was eigenlijk bloedheet in zijn truck. Misschien kwam dat omdat ze weer zo dicht bij Puck was. Ze probeerde niet te denken wat er de vorige keer gebeurde. 'Ja Puck, die truc ken ik al.'

'Kan ik er wat aan doen als jij helemaal gek wordt van me?' Puck glimlachte naar haar. Hij had de allerlangste wimpers ooit. De ramen van de Suburban besloegen langzaam door hun adem.

Quinns hand ging naar de deur, maar Puck leunde over haar heen en pakte haar arm vast. 'Ga nou niet. Ik maakte een geintje.'

'Praat dan.' Quinn wilde niet in zijn ogen kijken, dan zou ze erin verdrinken. Alsof hij een hypnotiseur was. Hij hoefde haar maar in een kleine ruimte te krijgen en diep in haar ogen te kijken en ze werd zo mak als een lammetje. Ze keek dus naar zijn voorhoofd. Wat was er met hem aan de hand? En met haar? Ze was eraan gewend om macht te hebben over jongens. Ze vond het heerlijk om nee te zeggen tegen ze. Dat ging vanzelf en voelde erg goed.

Puck schraapte zijn keel. 'Ik wil het aan Finn vertellen.'

Quinns hazelnootbruine ogen werden zo groot als schoteltjes. 'Wat vertellen?'

'Over dit. Over ons.' Puck had een toespraak voorbereid maar kon niet meer nadenken nu Quinn zo dicht bij hem zat. In de sexy witte pyjama, zoals rijke vrouwen dragen die in hotels wonen. Ze had helemaal geen make-up op en ze rook

135

naar peren en tandpasta. 'Ga met mij naar het feest. Ik kan toch veel beter dansen dan Finn.'

Quinn keek door de voorruit. Het was het enige wat ze kon doen om niet voor Puck te smelten. Ze zag de brievenbus van buurman Lipanski en ze vroeg zich af wat er zou gebeuren als hij nu Winston, zijn Boston terriër, zou uitlaten en Quinn met een vreemde jongen in een auto zou zien zitten. Zou hij het aan haar vader vertellen? Vast niet. Ze had het gevoel dat meneer Lipanski haar vader niet mocht.

'Ik kan niet met je gaan.' Haar ogen concentreerden zich op de lamp bij meneer Lipanski's voordeur. 'Je gaat met Santana, weet je nog?'

'Dan zeg ik haar af.' Een haarlok viel voor Quinns gezicht en verborg haar ogen. Puck aaide het haar met zijn duim en stopte het achter haar oor. Zijn hand bleef in haar nek liggen.

'Santana is mijn vriendin, dat kan ik haar niet aandoen.' Quinn sloot haar ogen. Haar stem klonk raar. Een Journey-liedje was op de radio en ze deden geen van beiden iets om van zender te veranderen. Puck streelde nu haar kaak zachtjes met zijn duim en het voelde zo goed dat ze zich er niet toe kon brengen om hem weg te duwen. Nog niet. 'Ik kan het Finn ook niet aandoen. Het is een aardige jongen.' Pucks hand rook naar scheerschuim.

'We moeten iets doen,' Puck snoof de geur van Quinns haar diep in zich op. 'Ik kan hier niet tegen.'

Quinn voelde dat ze Pucks hand vastpakte. Ergens wilde ze hem vragen om samen te bidden. Dat is wat de vrouw van de dominee in de bijbelclub voor tieners had gezegd dat ze moesten doen als het ze te snel ging. Maar Puck had haar nog niet eens gezoend. 'Waar kun je niet tegen?'

Puck streelde haar wang met zijn neus. 'Dat ik niet bij je ben. Ik word er gek van.' Zijn stem was warm en laag in haar oor. De kleine haartjes in haar nek stonden recht overeind.

Quinn wist dat het hoog tijd was om terug naar haar kamer te gaan. Ze moest onmiddellijk uit de auto stappen, het huis inglippen, een glas magere melk inschenken en naar bed gaan. Alles vergeten wat zich in deze auto had afgespeeld. Misschien kon ze wel doen alsof het een droom was. Het voelde als een droom: als een droom die ze al had sinds ze voor het eerst op deze manier over Puck was gaan fantaseren.

Ze duwde Puck van zich af. 'Er is geen oplossing. Het kan nooit wat worden tussen ons.'

Puck wreef vermoeid in zijn ogen. Als hij op dat moment iets gezegd had, wat dan ook, was de betovering verbroken. Maar hij zweeg en staarde naar de radio en luisterde naar het Journey-liedje. Hij bleef zitten en ze kon de warmte van zijn lichaam naast haar voelen. Waarom gaven mannen altijd zoveel hitte af? Kwam het door het testosteron?

Ze wist dat het verkeerd was vóórdat ze het zei, maar ze kon zich niet voorstellen dat ze zo terug naar huis zou glippen, terug de trap op, om in haar enorme lege bed te kruipen. Niet als Puck hier naast haar zat en zoveel hitte uitstraalde dat je er een kampvuur mee aan kon steken.

En ze wist dat het verkeerd was terwíjl ze het zei, maar ze kon de woorden die uit haar mond stroomden niet tegenhouden. Er waren wel duizend goede redenen waarom het nooit wat werd met Puck. Ze kon zich alleen niet voorstellen dat ze de auto zou verlaten zonder zijn lippen voor de laatste keer op de hare gevoeld te hebben.

'Zoen me nog één keer, om het af te leren?' vroeg ze terwijl ze hem eindelijk in de ogen durfde te kijken.

Nog voordat ze de zin had afgemaakt zoende hij haar. Een hand gleed langs haar nek en trok haar tegen zich aan. Ze vergat wat de buren konden zien of wat haar ouders konden denken of wat Finn en Santana zouden voelen, als ze wisten wat er nu in die auto gebeurde.

Ze dacht alleen maar aan Puck. Aan zijn handen en lippen tegen haar lichaam. En ineens was al het andere ook onbelangrijk.

23

Gymzaal van McKinley High, vrijdagavond

Het McKinley High-footballteam verloor vrijdagavond met 6-18 van Central Valley, en niemand was verbaasd, dus de leerlingen kwamen lachend aan bij de gymzaal voor het feest. De gymzaal zag er schitterend uit, als een wonderland tussen de sterren. De lichten waren gedimd en grote gouden sterren draaiden en zwierden aan de draden die door de hele zaal gespannen waren, alsof het echte sterren waren die je zag flonkeren bij maanlicht. De muziek knalde uit de speakers en een sjofele dj stond te draaien bij de draaitafel. De leerlingen hadden allemaal hun best gedaan om er heel mooi uit te zien. De jongens droegen blazers of een pak en de meisjes droegen vrolijk gekleurde jurkjes en hoge hakken die vrouwelijk klikten op de houten dansvloer. Een paar docenten keken waakzaam toe vanaf de langwerpige kantinetafel, onder een van de baskets, die gedekt was met punch en koekjes.

Rachel Berry zat op de tribune en wachtte vol spanning. Ze droeg een azuurblauwe strapless avondjurk met een wijde rok en een zwarte ceintuur om haar middel. Haar zwarte schoentjes met niet al te hoge hakken en een open neus tikten op de vloer en verrieden dat ze zenuwachtig was. Ze was op de dansvloer zodra de zaal openging en ze was benieuwd of haar excuses op de intercom genoeg waren om de Glee-kids te doen besluiten om op te komen dagen. Ze wilde dat haar plannetje lukte, maar ze kon het niet alleen.

'Je ziet er betoverend uit vanavond.' Jakob stond ineens voor Rachel. Hij droeg een marineblauwe blazer en een bruine bandplooibroek die net een centimeter te kort was. Zijn bruin-met-roze Paisley-das zat te strak om zijn nek en het

Paisley deed Rachel denken aan de tekeningen van sperma in haar mens- en gezondheidboek.

'Bedankt voor het compliment Jakob, maar ik dans nooit meer met jou.' Vorig jaar had ze met hem gedanst op het vakantiebal, alleen omdat verder niemand haar gevraagd had, en Jakobs handen hadden de hele tijd aan haar billen gezeten en op nog meer plekken waar ze niet thuishoorden. 'De laatste keer bleef je naar me graaien, midden op de dansvloer.' Hij had ook zweterige handafdrukken achtergelaten op haar zijden jurk, maar ze vond het flauw om daarover te beginnen.

'Wat als ik deze keer beloof dat ik mijn handen boven de evenaar hou?' Zijn voorhoofd was nu al bezweet.

'Nee,' hield Rachel stug vol. Bij de ingang van de zaal werd het rumoerig en Rachel probeerde te ontdekken wat er aan de hand was. De menigte bij de deur ging opzij en Finn Hudson kwam de zaal binnen met Quinn Fabray aan zijn arm. Rachel voelde dat ze haar adem inhield. Finn droeg een donkerblauw pak, een lichtblauwe buttondown en een donkerblauwe das met gele diagonale strepen. Hij zag er ontzettend knap uit en leek maar een klein beetje ongemakkelijk in zijn nette kleren. Quinn, aan zijn arm, zag eruit als een sprookjesprinses in haar zachtgele jurk die bij Finns das paste. Dat kleine detail deed Rachels hart bijna breken. Quinns blonde haar viel in losse krullen op haar schouders, perfect voor een tiara.

'Als je mijn blog een beetje gevolgd hebt weet je dat de laatste peilingen aangeven dat Finn Hudson en Quinn Fabray vanavond gekroond worden tot king en queen.' Jakob duwde zijn bril omhoog.

Rachel had Jakobs domme blog daar niet voor nodig. Het was duidelijk dat ze gingen winnen. Iedereen keek jaloers naar het gouden paar. Quinn trok Finn de dansvloer op. Ze had een Miss America-glimlach op haar gezicht getoverd en genoot zichtbaar van alle aandacht. Finn vond Quinn toch niet leuk? Ze was mooi, maar ook gemeen en bazig.

Finn was veel dieper dan dat, althans, dat dacht Rachel. Hoopte ze.

Terwijl Rachel naar het dansende paar keek, kwamen Artie en Tina binnen. De menigte ging deze keer niet opzij. De vader van Artie had Tina opgehaald in Arties rolstoelbusje en ze bij de school afgezet, maar Tina wist nog steeds niet of ze nou een afspraakje met hem had. Artie had gezegd dat ze mooi was toen ze in de auto stapte maar met zijn vader erbij was het niet zo romantisch. Ze had een jurk van haar zus geleend, een zwarte mini-jurk met dunne zwierige mouwtjes, en ze had haar Dr. Martens gepoetst tot ze blonken.

'Heb jij dit gemaakt?' Artie staarde vol bewondering naar de sterrenhemel boven hun hoofden. 'Het ziet er prachtig uit, als in een film.'

Tina keek naar de sterren. Ze had allerlei maten door elkaar gehangen zodat het eruit zag alsof de sterren op de aarde neerdaalden. 'Vind je het echt mooi?'

'Ben je gek? Je moet ontwerper worden of zoiets.' Artie voelde aan zijn das of hij recht zat. Hij voelde zich een beetje raar in zijn zwarte pak. Alsof hij naar een begrafenis ging. Zijn moeder had een blauw Ralph Lauren-overhemd voor hem gekocht; hij wilde nooit mee naar de winkels omdat mensen hem altijd aanstaarden, alsof hij in de weg stond. 'Het is magisch.'

Tina bloosde. Ze was trots op het resultaat en Arties compliment was lief. Ze wilde iets zeggen, ze was vergeten om te zeggen dat hij er ook goed uit zag, maar Rachel stormde op ze af en verpestte het.

'Tina, de decoraties zijn prachtig.' Rachel straalde naar Artie en Tina. Ze was zo blij om ze te zien. 'Ik ben dankbaar en gevleid dat jij mijn gouden ster van de week hebt gekozen als inspiratiebron voor de decoraties.' Ze hield plotseling op met praten. 'Denk ik?'

Artie en Tina keken elkaar aan. Het was onmogelijk om boos te blijven op Rachel als ze zo'n bord voor haar kop had. 'Rachel, we vergeven je, maar je moet niet gaan overdrijven,' zei Artie.

'Jullie zijn top. En jullie zien er allebei erg leuk uit.' Rachel straalde weer en keek over haar schouders naar het podium.

'Ik ben blij dat jullie zijn komen opdagen want ik heb een plannetje om de schade van vorige week te herstellen.'

'Een p-p-plan?' Tina stotterde. In een klap was ze weer zenuwachtig. Ze was blij om in de zaal te staan en naar de bewonderende reacties te kijken als leerlingen binnenkwamen. De avond was al geslaagd. Waarom moest Rachel altijd zoveel plannen hebben?

'Ja.' Rachel deinsde achteruit toen een footballspeler haar kant uit kwam met een beker punch. Het was geen slushie, maar Rachel wilde droog blijven. Gelukkig gooide hij de beker niet over haar jurk maar liep hij langs Rachel en gaf de beker aan zijn vriendinnetje. 'We gaan zingen, hier, vanavond, waar iedereen bij is.'

'Hier?' vroeg Artie. Hij keek naar de volle zaal. 'Hoe wil je dat regelen?'

'Ik heb het helemaal uitgedacht,' zei Rachel. Ze wees naar de draaitafel. 'We hoeven alleen maar even aan wat knoppen te zitten en een paar microfoons te pakken.'

'Ik weet niet of ik dat zo'n goed idee vind,' zei Tina langzaam. Ze dacht altijd goed na over dingen voordat ze een besluit nam en dit was allemaal nogal overhaast. Het voelde alsof het onvermijdelijk was dat het rampzalig afliep. Wat als dit weer zo'n enorme misser was? 'Hebben we onszelf al niet genoeg voor paal gezet?'

'Inderdaad. En nu hebben we de kans om dat recht te zetten.' Rachel gloeide van opwinding. Ze wist dat haar plannetje ging werken. Ze hadden meteen zoiets als dit moeten doen, in plaats van dat ouderwetse Broadway-liedje dat niet echt bij ze paste. 'Tina, vanavond is jouw avond. Jouw sterren schitteren, en alle Cheerios weten dat de mooie zaal helemaal aan jou te danken is.'

'Dat is waar,' knikte Artie en keek naar Tina. 'Het is al 1-0 voor jou.'

'Dit is je kans.' Rachel keek over haar schouder naar Finn. Quinns hand lag op zijn schouder en haar roze nagels leken net klauwen.

'Ik weet het niet zo zeker.' Tina knikte naar de deuropening. 'Laten we vragen wat zij vinden.' Kurt en Mercedes kwamen net binnen en zagen er geweldig uit. Kurt droeg zijn nieuwe donkergrijze Tom Ford-pak met een wit overhemd en een dunne zwarte das. Hij liep de zaal in met het zelfvertrouwen van iemand die donders goed wist dat hij de best geklede jongeman was in de hele zaal. Mercedes wist dat zij met haar rondingen extra hard haar best moest doen om er net zo mooi uit te zien als Kurt, dus had ze haar vaders creditcard geleend en een donkerpaarse bustier en een paarse kokerrok gekocht. Het stond haar heel erg goed. Ze droeg een haarband die fonkelde met nepdiamantjes.

Rachel glimlachte terwijl ze naar Kurt en Mercedes zwaaide. Het was een stelletje diva's, die twee, en ze kon zich gewoon niet voorstellen dat die de kans zouden afslaan om op het podium te staan, zeker niet in die kleren. Het ging weer goed komen met haar, dat voelde ze.

Niet iedereen was zo blij als Rachel. Aan de andere kant van de gymzaal vond Quinn het moeilijk om te blijven lachen. Brittany woonde vlak bij school en ze had Quinn en Santana uitgenodigd om zich bij haar om te kleden na de footballwedstrijd. Quinn had een uur lang moeten aanhoren hoe Santana vertelde dat Puck zo onweerstaanbaar was en dat ze niet wist of ze zichzelf kon beheersen als ze met hem alleen was. Quinn had willen kotsen, zo'n marteling was het geweest.

Ze had na gisteravond alleen maar aan Puck kunnen denken. Ze had gehoopt dat de koorts wel gezakt zou zijn en dat ze weer door kon gaan alsof er niets gebeurd was, maar dat was niet echt gelukt. Ze had hem op school gezien, maar toen hadden ze geen gelegenheid gehad om iets te zeggen en alleen geladen naar elkaar geglimlacht.

Toen ze Santana een rood, strapless mini-jurkje zag aantrekken hoopte Quinn vurig dat Puck niet op zou komen dagen. Wat hij wel deed. Toen zij binnenkwam met haar vriendinnen stonden Puck, Finn en de andere footballjongens die zich in de kleedkamer hadden omgekleed, al op ze te wachten.

Toen Finn een beker punch voor haar haalde had Puck snel in Quinns oor gefluisterd. 'Je ziet er hot uit.' En daarna had ze hem niet meer gezien. Santana was ook nergens meer te bekennen. Die kon niet wachten tot ze Puck de zaal uit kon lokken om hem te bespringen, maar dat was haar toch nu al niet gelukt? Ze waren nergens te zien. Quinn probeerde niet te denken aan Santana en Puck in zijn auto, de ramen beslagen.

'Gaat het?' vroeg Finn, en legde zijn hand op Quinns blote arm. 'Je ziet er zenuwachtig uit.'

Quinn keek op naar hem en probeerde haar hoofd leeg te maken. Ze was hier met Finn, niet met Puck, en daar ging het vanavond om. Dit was háár avond, tenslotte. Ze werd straks verkozen tot homecoming queen en iedereen zou applaudisseren en fluisteren hoe mooi ze was als rector Figgins de kroon op haar blonde krullen zette. 'Ik hoop dat we king en queen worden.'

'O.' Finn keek glazig voor zich uit. Hij was blij dat hij hier met Quinn was en ze zag er heel mooi uit met die krullen, maar die duffe oppervlakkige homecoming-verkiezingen konden hem helemaal niet schelen. Hij gaf er geen reet om. Het kon hem al nauwelijks schelen dat ze de wedstrijd verloren hadden en dat was veel belangrijker voor hem. Wat gebeurde er met hem als hij geen footballbeurs kreeg? Hoe kon hij dan studeren? Hij keek naar Quinn. Haar lippen glansden in het licht. Het was raar dat ze begonnen was over de hot tub want ze had het er daarna nooit meer over gehad, dus hij wist niet of ze het meende.

'We moeten met de rest gaan praten,' zei Quinn en ze pakte zijn arm. Als dit haar avond was met Finn kon ze op z'n minst genieten van alle aandacht. Ze was de prinses op het bal en hij was een van de populairste jongens op school, en alle Cheerios gingen dood van jaloezie omdat Quinn Finn onder hun neus weg had gekaapt.

En als ze zich concentreerde op haar rol lukte het haar misschien eens een keer om niet na te denken over wie ze nu miste. En wat.

'Laten we met Kirsten praten. Haar vriendje studeert al.'

Finn liet zich gewillig meetrekken. Hij wilde dat hij thuis was en Halo zat te spelen. Toen zag hij een meisje in een zeeblauwe jurk. Was dat Rachel Berry? Haar zwarte lokken waren met een elegante draai opzij gespeld en ze zag er heel mooi uit. Hij wilde naar haar toelopen om met haar te praten. Hij vond het heel erg dat de Cheerios die stomme grap met de rookmachine hadden uitgehaald en hij voelde zich schuldig omdat hij haar niet had kunnen beschermen met zijn waarschuwing. Hij begreep niet waarom het hem zoveel kon schelen, maar hij voelde dat er meer achter Rachel zat dan wat de rest van de wereld in haar zag.

'Hallo?' Quinn tikte zijn arm. 'Kom je nog?'

'Ja,' zei hij. Rachel verdween in de menigte en hij had een raar gevoel in zijn hart, alsof hij iets gemist had.

24

Gymzaal van McKinley High, homecoming-feest, later die avond

Zoals Rachel had voorspeld, hoefde ze niet erg haar best te doen om Mercedes en Kurt te overtuigen van haar plannetje. 'Omdat mijn eerste show niet bepaald voldeed aan de verwachtingen klinkt een tweede kans mij best goed in de oren,' zei Kurt en aaide over de revers van zijn jasje. 'Trouwens, hoe vaak zie ik er zo goed uit?'

'Jij ziet er altijd goed uit.' Mercedes gaf een klopje op zijn arm. Ze voelde zich ongelofelijk lekker. Ze vond het heerlijk dat ze eindelijk eens met een date naar een feestje ging. De gymzaal was heel feestelijk, dankzij Tina. Mercedes droeg nieuwe kleren, sexy paarse hakken met plateauzolen, en serieuze blingbling: een gigantische strass M aan een ketting, nieuwe gouden oorringen en een grote glinsterende ring van Claire's Boutique die Kurt 'vet' vond. Ze voelde zich een ster, en nu mocht ze ook nog optreden? Bijna te mooi om waar te zijn. 'Wanneer doen we het?'

'Bijna. Misschien na die saaie kroningsceremonie.' Rachel tintelde van plezier. *This is it*. Ze voelde gewoon dat het ging gebeuren. 'Ik ga de dj eens bespioneren.' Haar hakken tikten op de dansvloer terwijl ze langs de leerlingen, die op Coldplay dansten, naar de draaitafel liep. Halverwege de zaal hield de muziek op.

Iedereen keek of er iets op het podium gebeurde en leerlingen stootten elkaar aan toen ze Brittany de trap op zagen wiebelen op haar zilveren stiletto's. Ze droeg een superstrak roze-met-zwart jurkje en had opgestoken haar. Ze zag eruit als een barbiepop.

Brittany liep naar de microfoon. De microfoon piepte oorverdovend hard, waarna ze supersnel en onverstaanbaar begon te praten. 'Het moment waar iedereen de hele avond op wacht is nu aangebroken, het kronen van de king en queen van het homecoming-feest,' las ze in één adem op van een indexkaartje dat ze voor zich hield.

De zaal gonsde vol verwachting. Terwijl Rachel naar de draaitafel kroop, hoorde ze hoe iedereen fluisterde over Quinn en Finn en hoe ze gingen winnen. Terwijl ze langs de menigte glipte, liep ze langs Coach Sylvester. Die stond te praten met de duffe economiedocente. 'De investering was de moeite waard,' hoorde Rachel haar zeggen. 'Ik was blij om geld uit het kunstfonds in te zetten voor het behoud van de gevoelige sociale structuur die de zwakke tieners van de sterke scheidt.'

'Kun je dat wel maken?' vroeg mevrouw Igulden met verontruste stem. Rachel bleef stokstijf staan om geen woord te hoeven missen.

'Wat, subsidiegeld gebruiken? Tuurlijk kan ik dat.' Coach Sylvester droeg een zwart trainingspak. 'Het geld voor de stemmen is toch bestemd voor het zonnebankfonds van de Cheerios. Het is win-win.'

Rachels handen trilden. Ze wist dat Coach Sylvester niet te vertrouwen was, maar dit was ronduit schandelijk. Ze had stemmen gekocht om de verkiezingen te beïnvloeden? Alles was doorgestoken kaart – de homecoming-verkiezingsstrijd, de muziekvoorstelling. Het was zó fout dat het Rachel inspireerde. Deze keer ging ze niet haar haar uittrekken en van school af. Deze keer zou ze 't hen betaald zetten.

'En de winnaars zijn Quinn Fabray en Finn Hudson,' kondigde Brittany aan, al voordat ze de zegel op de envelop gebroken had en de uitslag uit de envelop had gehaald. De zaal applaudisseerde terwijl Quinn en Finn, die vlak bij het podium strategisch stonden opgesteld, het podium opkwamen en naar de microfoon liepen. De footballspelers riepen *whoop whoop* en stootten krachtig met hun vuisten in de lucht. Rector Figgins verscheen op het podium. Hij had een plastic tiara en een kroon in zijn hand.

Quinn voelde alsof alles in slowmotion bewoog. Ze had de

hele avond zo ongeveer van iedereen gehoord dat ze op haar en Finn hadden gestemd, dus ze was niet echt verbaasd toen ze haar naam hoorde. Maar ze was wel verbaasd om te merken hoe lekker het voelde om het podium op te lopen onder daverend applaus, terwijl de hele school naar haar keek en alle meisjes wensten dat ze net zo mooi en populair als Quinn waren. Ze had nooit eerder zoveel macht gehad en ze werd een beetje duizelig van het idee dat ze het belangrijkste meisje van de hele school was. En Finn, haar knappe, lange, misschien wat domme, date, stond aan haar zij.

Het was beter dan in haar dromen. Het was helemaal perfect.

'Gefeliciteerd.' Ze leunde een beetje naar voren zodat rector Figgins de tiara op haar hoofd kon plaatsen en hoorde honderden fototoestellen en telefoontoestellen klikken in de zaal en voor het eerst die avond verscheen er langzaam een echte glimlach op haar gezicht.

'Kun je bukken alsjeblieft,' zei Figgins tegen Finn die mijlenver boven de rector uitstak. Finn ging ongemakkelijk door zijn knieën en liet Figgins de kroon op zijn hoofd zetten. Quinn straalde naar het publiek en voelde hoe haar ogen keken naar iemand die midden in de zaal stond.

Het was Puck. Zijn ogen hielden de hare gevangen. In zijn zwarte shirt en zwarte pak, zonder das, zag hij er gevaarlijk en knap uit. Quinn voelde haar knieën knikken als ze dacht aan wat ze gisteravond met Puck in de auto gedaan had, maar er zat meer dan alleen seks in de blik die zij wisselden. Terwijl Finn zijn hand om haar taille legde en Santana aan Pucks arm hing, leek het alsof Quinn en Puck een stille afspraak maakten met hun ogen.

Dit was hoe het moest zijn. Dit is wat ze altijd al wilde. Wat ze nu wilde. Op het podium staan met haar mannelijke wederhelft, klaar om over de school te regeren. Zij was het brave meisje. Zij was de homecoming queen en nu moest ze zich ook zo gedragen.

En er was geen plaats voor Puck.

Terwijl ze haar wang tegen Finn drukte, wist ze dat het zo goed was. Puck was gewoon een tijdelijke bevlieging geweest, misschien vanwege de volle maan. Dit was waar ze thuishoorde. Hier, aan de top. Ze slaakte een zucht van verlichting.

De king en queen waren gekroond, het feest kon weer doorgaan. De dj begon met een slow dance ter ere van het koningspaar en ging daarna over op snelle muziek waar iedereen op kon dansen. Het feest kwam nu goed los.

'Is het al tijd?' vroeg Mercedes en streek haar rok glad. 'Ik ben er klaar voor.'

Kurt draaide vol ongeduld met zijn ogen. Hij keek hoe Finn en Quinn onhandig doordansten, terwijl mensen ze enthousiast bestormden om ze te feliciteren. 'Alsjeblieft. Laten we de act snel doen. Ik kan de aanblik van al die kontlikkende populaire mensen niet langer aanzien.'

'Het is nu of nooit,' knikte Artie.

'Wens me succes!' zei Rachel opgewekt en ze liep naar de draaitafel. De dj was een magere man van een jaar of vierentwintig met een sikje en vettig lang haar in een paardenstaart. Een paardenstaart? Serieus? Die waren toch weer alleen voor meisjes? Rachel was bij de tafel aangekomen en leunde naar voren. Ze glimlachte naar de dj. 'Je draait goed vanavond.'

De dj knipperde met zijn ogen, alsof hij het niet gewend was om met meisjes te praten. 'Vind je?' Hij leunde naar voren om Rachel te kunnen horen.

'Zeker.' Rachel knipperde met haar wimpers. Ze was niet zo'n voorstander van veel make-up maar ze was blij dat ze extra veel mascara opgedaan had. De dj leek bedwelmd door haar ogen. 'Hoe heet je?' Ze staarde naar de moedervlek op zijn wang zodat haar ogen Tina en Kurt niet zouden verraden die nu achter hem stonden. Ze snuffelden in een paar dozen voordat ze er vijf draadloze microfoons uit haalden.

'Ricky,' zei hij en kuchte in zijn vuist. Zijn huid was onnatuurlijk bleek, alsof hij nooit het daglicht zag. 'Kan ik... Wil je dat ik iets voor je draai?'

'Ja,' zei Rachel, en glimlachte.

Twee minuten later klonken de eerste noten van Lady Gaga's 'Just Dance' door de speakers en de zaal begon wild te dansen. Zelfs de mensen die langs de kant stonden kwamen de dansvloer op en begonnen te dansen. Iedereen behalve Kurt, die achter de draaitafel gehurkt zat. De andere Glee-leden waren voor het podium gelopen met de microfoon langs hun zij. Eindelijk, toen Lady Gaga goed op stoom kwam en de zaal meedeinde op de muziek, trok Kurt de stekker uit de verster- ker en glipte de dansvloer op voordat Ricky iets had kunnen zien.

Ineens was Lady Gaga stil. 'Watskeburt?' schreeuwde ie- mand. Anderen riepen boe, of floten tussen hun tanden, tot- dat ze iets hoorden. De zaal werd langzaam stil. Iemand was aan het zingen.

'*Just dance, gonna be okay,*' gingen de Glee-leden verder waar de muziek gestopt was. De leerlingen die vooraan ston- den in de gymzaal stapten naar achteren om wat ruimte te maken voor de jongeren met de microfoons en de leerlingen die achteraan stonden duwden naar voren om te kijken wie er zong. Na even bewonderend te hebben geluisterd begon de hele zaal te dansen en met hun voeten te stampen alsof het zo afgesproken was. Een paar juichten en floten enthousiast.

Rachels gezicht gloeide van opwinding terwijl ze zong en genoot van het publiek. Ze klonken fantastisch, dat was te ho- ren. Misschien kwam het door het liedje, of misschien kwam het omdat ze allemaal zo relaxt waren.

Of misschien kwam het omdat ze wisten dat ze Glee kwijt- raakten als ze nu niet de longen uit hun lijf zongen.

Ricky de dj gaf ze meteen een vette beat als back-up en zelfs de docenten begonnen op de muziek te bewegen. Meneer Schuester, die had moeten luisteren naar een pijnlijk verhaal van Ken Tanaka, was verbijsterd. Wie waren dit? Ze hadden niet alleen talent, maar ze hadden ook lef om het doorsnee- feest wakker te schudden met een spontaan concert.

'Die leerlingen kunnen veel bereiken,' zei meneer Schuester tegen Ken.

'Ja, dat zal wel.' De coach trok aan zijn riem. Zijn nette shorts zaten te strak en hij voelde zich helemaal niet op zijn gemak in een gymzaal vol leerlingen die hun gymkleren niet aanhadden.

Meneer Schuester was niet de enige die onder de indruk was. Toen de Glee Club begon te zingen was het groepje om Quinn en Finn weggerend om te kijken wat er bij het podium gebeurde. Ze bleven alleen achter in het midden van de zaal. Quinn had hem meegetrokken om het spektakel te zien en was helemaal vooraan gaan staan.

Quinn keek naar Finn, die helemaal in trance leek. Ze volgde zijn blik en ontdekte dat hij naar Rachel Berry keek, die stond te zingen alsof het haar avond was. Waar haalden ze die microfoons vandaan?

'Dit hoort niet bij het officiële programma,' bromde Quinn geërgerd. Dit was haar avond, alleen voor haar, en nu ging het een heel andere kant uit dankzij Rachel Berry en haar loservriendjes.

Finn kon Quinn amper horen door de keiharde muziek en het gestamp van het publiek. 'Ze zijn best goed, vind je niet?' Hij dacht vooral aan Rachel die heen en weer liep met de microfoon als een professionele zangeres. Ze klonk beter dan Lady Gaga en ze leek helemaal niet zenuwachtig. Ze zag eruit alsof ze het enorm naar haar zin had.

Quinns ogen knepen zich samen. 'Als je van dat soort muziek houdt,' zei ze. Wat zij niet deed. Echt niet.

Haar woorden verdwenen in de storm van een daverend applaus.

Kamer van rector Figgins, maandagochtend

Op maandagochtend werd de Glee Club uit het eerste uur gehaald en bij de rector geroepen. Het weekend was het tegenovergestelde geweest van het weekend na de rampzalige vertoning bij de muziekvoorstelling. In plaats van vernederd voelden ze zich geweldig. Ze waren Rachel erg dankbaar, ook al had ze op het feest natuurlijk meteen staan opscheppen dat het haar idee was geweest. Ze konden Rachel deze keer gewoon niet haten voor haar borstklopperij, ook al beet Mercedes liever haar tong eraf voordat ze toegaf dat ze het niet erg vond dat Rachel alle aandacht naar zich toetrok.

Tina, Kurt, Mercedes en Rachel zaten of stonden voor rector Figgins' bureau en Artie stond naast de ingang geparkeerd. Hij paste niet tussen de stoelen door. Coach Sylvester was er ook. Ze droeg een donkerblauw-met-geel joggingpak en leunde tegen de verwarming naast het bureau.

Rachel slikte. Waarom was Coach Sylvester erbij? Rachel begreep niet wat de Glee Club verkeerd had gedaan. Ach, ze wist dat ze het wel op kon lossen. Ze voelde zich zeker van zichzelf. Ze kon de hele wereld wel aan. Hun act op het feest had niet beter kunnen gaan en na afloop waren allerlei mensen op ze afgekomen om te vertellen hoe gaaf ze waren. De Cheerios en footballspelers deden net alsof er niets gebeurd was. Rachel kon zien dat ze woedend waren.

Wat de wraak alleen maar zoeter maakte.

'Ik heb jullie bij me geroepen omdat ik wil praten over wat er gebeurde op het homecoming-feest afgelopen vrijdag,' begon rector Figgins met zijn gebruikelijke vermoeide stem. Hij keek naar Coach Sylvester. 'Sommige mensen zijn, eh, gekwetst door jullie optreden.'

'Maar we waren magisch,' zei Kurt. Hij was niet meer in rector Figgins' kamer geweest sinds het doelpaalincident: ze hadden hem tijdens de gymles aan een footballdoelpaal vastgebonden en de rector had gezegd dat hij de daders moest aanwijzen. Dat kon helemaal niet, want hij had de hele tijd zijn ogen stijf dichtgeknepen.

'Als je met magisch bedoelt dat het oneerbiedig, walgelijk en afzichtelijk was, dan ja, waren jullie magisch.' Twee spuugdruppels bleven aan de mondhoeken van Coach Sylvester hangen.

Rector Figgins hief zijn hand omhoog om Coach Sylvester tot stilte te manen. 'Bij dit soort verstoringen van de orde vraag ik altijd de betrokken leerlingen of ze kunnen verklaren wat er gebeurde.'

'Ik zal vertellen wat er gebeurde,' snauwde Coach Sylvester en wees naar de Glee-kids. 'Die kleine musketiertjes verstoorden een van de belangrijkste rituelen in de carrière van een high schoolmeisje door dwars door het feest heen midden in de zaal een stunt uit te halen. Een travestietendansje? Schandelijk.' Ze schudde vol walging haar hoofd. 'Ik weet niet hoe Quinn Fabray zichzelf in slaap gehuild heeft nadat jullie haar avond bruut verpestten.'

'Rector Figgins, we hebben onze act pas gedaan nadat de king en queen gekroond waren en hun speciale dans was afgelopen. Ik zweer het.' Rachel probeerde Coach Sylvester niet aan te kijken. Ze wist zeker dat de coach niet bang was om haar een klap te verkopen als ze elkaar toevallig tegenkwamen in een lege gang.

'Zo'n excuus zou de nazi's ook niet geholpen hebben.' Coach Sylvester keek naar rector Figgins om steun te krijgen, maar hij knikte alleen maar naar Rachel dat ze door moest gaan met haar verklaring. Hij wilde dat hij op de golfbaan stond.

'Meneer, we hebben de act alleen maar op het feest opgevoerd omdat we haast geen andere mogelijkheid hebben. Glee Club kan bijna nooit optreden omdat er geen geld voor ons is in het schoolbudget. En meneer Ryerson is er nooit.' Rachel rechtte haar rug. Tina glimlachte motiverend naar Rachel. Het voelde goed om voor de Glee-kids op te komen, vooral omdat zij een speciale band had met rector Figgins.

'Maar jullie traden op tijdens de muziekvoorstelling "Het regent muzieknoten".' Rector Figgins keek uit het raam naar de grote grasmaaitractor die heen en weer racete over het gazon voor de school. Hij vroeg zich af wie er achter het stuur zat. Vast die vreselijke Hank van de plantsoenendienst.

'Dat klopt, maar ons optreden werd gesaboteerd door de Cheerios, die ons een kapotte rookmachine hadden gegeven. Ze hadden hem zelf gebruikt en wisten dat hij het niet deed.' Rachels gepassioneerde stem kwam door de herinnering aan dat onrecht pas echt goed op dreef.

Rector Figgins knipperde met zijn ogen. 'Is dat waar, Sue? Waren de Cheerios verantwoordelijk voor het incident met de rookmachine? Ik had drie ouders die naar de schoolverpleegster moesten met longklachten!'

'Ik kan me niet voorstellen dat mijn meisjes daar iets mee te maken hadden,' snoof Coach Sylvester. 'Ze zijn veel te druk bezig met repeteren voor de regionale cheering-wedstrijden om zich te interesseren voor de kinderachtige fuifjes van de Glee-kids.'

'Over fuifjes gesproken, Coach Sylvester,' begon Rachel, die de overwinning bijna kon ruiken. 'Ik heb toevallig gehoord dat u aan mevrouw Igulden vertelde hoe u persoonlijk tweehonderd stemmen hebt "gekocht" zodat Quinn Fabray en haar vriendje gegarandeerd de verkiezingen zouden winnen.'

'Sue, je mag niet stemmen bij de homecoming-verkiezingen. Je bent niet eens een leerling!' Niets wat Coach Sylvester deed kon Rector Figgins nog verbazen, maar nu was ze echt te ver gegaan. Dit soort stunts flikte ze hem nou elke keer. Hij tolereerde haar alleen maar omdat de Cheerios zoveel kampioenschappen wonnen. 'Verklaar jezelf.'

Kurt porde Mercedes in haar zij. Wat een heerlijke vertoning.

Het gezicht van Coach Sylvester bevroor. Ze was er niet

aan gewend om uitgedaagd te worden, zelfs niet door rector Figgins, en zeker niet voor het oog van een paar zingende losers. 'Om de morele structuur te behouden die tieners nodig hebben...'

Rector Figgins onderbrak haar. 'Om de morele structuur te behouden die tieners nodig hebben moeten wij als docenten het goede voorbeeld geven.' Het laatste waar hij op zat te wachten waren herverkiezingen omdat een docent deze homecoming-verkiezing gemanipuleerd had. Dat zou echt een hoop gezeik opleveren. 'Bij wijze van compromis stel ik voor dat de verkiezingsuitslagen geldig blijven. Voor zover ik weet was jouw inmenging totaal overbodig, Sue. Iedereen houdt van Quinn en Finn.' Hij haalde zijn schouders op. Finn Hudson was een aardige jongen en Quinn Fabray was een modelleerling, al was het wel irritant dat ze erop gestaan had om de Onthoudingsclub op te richten. 'Het geld dat is opgehaald bij de verkiezingen gaat naar de Glee Club.'

'Dat kunt u niet maken!' Coach Sylvester werd lijkbleek. 'Dat geld was bestemd voor het zonnebankfonds van de Cheerios! Dit kan niet waar zijn.'

'Ik kan dit wel maken, Sue.' Rector Figgins ging staan. Hij was er wel klaar mee.

Coach Sylvesters ogen zagen eruit alsof ze uit hun oogkassen gingen knallen, maar ze liep relatief waardig de kamer uit. 'Oké, maar ik ga dit met de ouders bespreken. We winnen de kampioenschappen nooit als de meisjes op albino's lijken.' Ze staarde demonisch naar Rachel, alsof ze wilde zeggen dat ze nog een appeltje met haar te schillen had. De rector zweeg en de coach vertrok, onderweg naar buiten de prullenbak van de secretaresse omver schoppend, voor de duidelijkheid.

De Glee-kids straalden. Het was bijna niet te geloven. 'Dank u wel meneer Figgins dat u begrijpt wat eerlijk en juist is.' Rachel genoot van de overwinning.

Rector Figgins viel Rachel Berry in de reden voordat ze begon te ratelen. 'Ja, ja. Maar geen plugs meer uit dure apparaten trekken. Ik zit niet te wachten op een rechtszaak van een dj.'

Ze bedankten rector Figgins en vertrokken zo snel als ze konden, zodat hij niet van gedachten kon veranderen.

'Ik kan het niet geloven,' fluisterde Tina terwijl ze wegslopen uit het kantoor. 'Hij heeft het echt gezegd, toch? We krijgen geld voor Glee?'

'Het is een begin.' Rachel zag stapels bladmuziek voor zich, en rekken vol kostuums, en ultramoderne geluidsapparatuur. Of misschien hadden ze eerst een nieuwe begeleider nodig, iemand die Glee kon leren om betere zangers en performers te worden. Of misschien moesten ze t-shirts laten maken!

'Je was tof daarnet, Rachel,' zei Artie, die zijn das rechttrok. 'Zoals je voor ons opkwam tegen rector Figgins en Coach Sylvester.' Hij zag in dat haar doorzettingsvermogen best handig was in dit soort situaties.

'Ik stel voor dat we onze laatste overwinning vieren met een glas champagne-jus, zonder de champagne.' Kurt klapte in zijn handen. 'Wie doet er mee?'

De club reageerde enthousiast, op Rachel na, die afgeleid was door Finn Hudson aan het eind van de gang. Hij stond over het fonteintje gebogen en deed alsof hij water dronk. Ze kon zien dat het water zijn mond helemaal niet raakte. Was hij... op haar aan het wachten? 'Ik kom zo,' zei Rachel en streek haar grijze plooirokje glad. 'Ik moet iets uit mijn kluisje halen.'

Zodra de Glee-leden weg waren ging Finn rechtop staan. Hij veegde zijn mond af en keek om zich heen of zijn footballvriendjes in de buurt waren, totdat hij zich ineens schuldig voelde. Wat kon het hem nou schelen als ze hem met Rachel zagen praten, of met wie dan ook? Dat was zo dom. Hij kon doen waar hij zin in had. Hij was toch homecoming king?

Hij liep recht op Rachel af, die zogenaamd in haar rugzak stond te zoeken.

'Hoi Rachel.' Finns tong voelde dik en zwaar, zoals die keer dat hij door een zwerm bijen was aangevallen nadat hij hun nest had stukgeslagen met een baseballbat. Hij werd best wel zenuwachtig als hij met Rachel praatte. Ze leek zo slim, ook al was ze een tikje gevaarlijk.

'Hoi Finn.' Rachel keek op van haar rugzak en lachte naar hem. Ze vond dat hij een beetje op een schildpad leek die niet uit zijn schild durfde te komen. Ze moest hem een beetje aanmoedigen. 'Gefeliciteerd met de felbegeerde positie van homecoming king.'

'O, ja. Bedankt.' Finn schudde zijn hoofd. Het was belachelijk dat ze hem feliciteerde met iets waar hij helemaal niets voor had hoeven doen behalve een podium oplopen en bukken zodat rector Figgins de kroon op zijn hoofd kon zetten, wat nogal ongemakkelijk was geweest. Rachel was degene die een waanzinnige spontane act op het feest had gegeven met haar nerdy maar onmiskenbaar talentvolle vriendjes en de hele school was uit zijn dak gegaan. Het zou leuk zijn om zoiets creatiefs te kunnen. Ondertussen had Quinn na het feest de hele terugweg op Glee zitten schelden en daarna had ze niet eens over het hot tub-plan willen práten. 'Er doet alleen een verhaal over jou de ronde.'

'Dat klopt niet,' zei Rachel pissig. 'Ik ben nog nooit uit geweest met een viervoeter.'

'Nee, niet dat verhaal.' Finn haalde zijn hand over zijn hoofd. 'Dat je, misschien, naar een of andere hipperdepippe school voor zang en dans gaat?'

'O.' Rachel was dat idee bijna vergeten. Ze was verbaasd dat het verhaal rondging. Meestal deden alleen vunzige of valse nieuwtjes de ronde, niet dat soort nieuws. 'Ik overweeg het.'

Misschien kwam het door het recente succes van Glee dat ze voorlopig geen overstap van plan was, maar ook vóór het succes had ze er niet veel zin in gehad. Er waren vast betere scholen waar ze haar talent kon ontplooien, maar McKinley High had één ding dat zij niet hadden: Finn Hudson. Ze wist dat het oliedom was om haar besluit – over haar hele toekomst – te baseren op een jongen met wie ze misschien vier keer gepraat had, maar ze kon er niks aan doen. Ze wist dat ze klikten.

Finn knikte en leunde achterover tegen een kluisje aan. Hij zag er zó ontspannen en knap uit, als een fotomodel in een huis-aan-huisbrochure voor Wehkamp. 'Ik vond het best tof wat jullie deden op het feest. Je klonk erg goed. En je zag er goed uit.' Hij bloosde. 'Ik bedoel, jullie allemaal. Niet alleen jij.'

Rachels keek hem met grote ogen aan. 'Bedankt,' zei ze. Haar hoofd tolde ervan. Finn leek echt zenuwachtig omdat hij met haar praatte.

Finn haalde nonchalant zijn schouders op. 'Ik wilde het gewoon gezegd hebben voordat je van school ging.'

Rachel glimlachte lieftallig. 'Ik heb besloten dat ik blijf. Iemand heeft mij van gedachten doen veranderen over McKinley High,' zei ze nadrukkelijk.

'O, vet.'

Finn had haar verwijzing niet opgemerkt, maar dat was prima. Hij had toch iets met Quinn Fabray en Rachel was echt niet van plan om zichzelf aan te bieden. Nou ja, niet op die manier. Maar ze mocht hem best een idee geven van wat er te halen was, toch? '1-0 voor McKinley, dus.'

Trouwens, tijdens de act op het feest, die bijna helemaal spontaan was geweest, werd Rachel eraan herinnerd dat het veel makkelijker is om op te vallen als je omgeven wordt door middelmatigheid. Ze vond het een goed plan om de grote vis – de vetste, fonkelendste, meest talentvolle vis – in de piepkleine vijver van McKinley High te zijn. Ze was ervoor geschapen.

'Aardig van je om dat te zeggen.' Rachel keek naar de kantine en zag dat de Glee-leden op haar stonden te wachten. 'Ik zie je dus wel weer, Haaievinn!' zei ze brutaal. Ze draaide zich om op haar hak en liep langzaam weg.

Finn keek haar na, en haar lekkere kontje. Hoe wist ze dat hij dat was? 'Hé, wacht even!' Zijn lange benen haalden haar in twee stappen in. Hij fluisterde zodat niemand kon meeluisteren. 'Waarom luisterde je niet naar mijn waarschuwing en heb je toch opgetreden die avond?'

'Ik wil je niet beledigen omdat je iets hebt met een van de Cheerios, maar zij zijn hier niet de baas en ik laat me niet door hun vertellen wat ik wel of niet mag doen.' Rachels lippen trilden omdat ze zo dicht bij Finns mond was. Ze had laatst gedroomd dat ze met hem in de bibliotheek zat. Een mooie, met leren stoelen en gebonden boeken, niet die op school – en in die bibliotheek keek hij op van een boek en kuste haar. Toen ze wakker werd had haar hele lijf getinteld. De kus had zo echt gevoeld dat ze ervan overtuigd was dat het een voorspellende droom was geweest. Ze ging met Finn Hudson zoenen. 'Je hebt een punt.' Finn wuifde half en liep weg. Zijn buik voelde raar, alsof hij teveel gamba's had gegeten.

Rachel grijnsde terwijl ze op haar vrienden afliep. Ze zag een footballspeler Kurts wiskundeboek pakken en in de vuilnisbak gooien. Goed, de gang van zaken op school was nog niet 100 procent veranderd maar het ging in elk geval de goede kant op. Glee Club had de school vermaakt op het feest en Finn Hudson praatte met haar. Ooit gingen ze misschien zoenen.

'Goedemorgen, dames en heren van McKinley High,' zei Rachel een paar minuten later door de microfoon. Toen rector Figgins haar toestemming had gegeven om twee weken op proef de mededelingen te doen had hij ongetwijfeld geen idee gehad hoe uitstekend ze dat zou doen. Hij vond het vast vreselijk dat dit haar laatste uitzending was – het was niet zo ondenkbaar dat haar vrolijke updates als zonnestralen de ochtenden van zijn deprimerende dagen doorbraken.

'Zoals jullie weten heeft het McKinley High footballteam dapper gestreden tegen Central Valley. We hebben niet gewonnen, maar ik weet dat iedereen, waaronder ik, trots is op ons team.' Rachel pauzeerde. Ze wist niet of Finn begreep dat ze hém bedoelde. Ze was niet trots op de rest.

Ze haalde diep adem zodat ze de volgende mededeling zonder haperen eruit kreeg. 'Ook wil ik de nieuwe homecoming king en queen feliciteren. Quinn Fabray en Finn Hudson, van harte!' Ze was echt niet jaloers. Ze wilde niet bewonderd worden om haar uiterlijke schoonheid, zoals Quinn. Dat was misschien even leuk, maar nee. Rachel wilde dat mensen haar zouden bewonderen om haar exceptionele talenten.

Trouwens, zo perfect was Quinns leven nou ook weer niet als haar vriendje de hele tijd van die 'momentjes' had met Rachel.

'Maar vooral,' Rachels stem galmde door de lokalen, 'bedankt, iedereen, voor jullie onverdeelde steun tijdens het korte optreden van Glee op het feest. Jullie zijn vast blij om te horen dat de Glee Club geld heeft gekregen. Jullie gaan in de toekomst nog veel meer van ons zien!' Rachel was niet bang voor Coach Sylvester. Al kwam de coach nu het absentenkamertje binnengestormd om te dreigen dat ze haar pompons in Rachels keel ging rammen; Rachel mocht zichzelf best een schouderklopje geven. En de rest van Glee, natuurlijk.

'Tot die tijd wil ik afsluiten met de woorden van Tom Petty.' Tom Petty was niet haar favoriete zanger, maar ze kon zich nu geen beter lied voorstellen dan 'I Won't Back Down.'

'Well, I won't back down / No, I won't back down / You can stand me up at the gates of hell / But I won't back down.'

Net toen Rachel het absentenkamertje uitliep, klopte meneer Schuester aan bij rector Figgins.

'Figgins? Ik wil met je praten over de Glee Club.'

'*Glee*, waarvan de titel zich het beste laat vertalen als 'vrolijkheid', houdt het midden tussen een musical en een comedyserie.' *Spits*

'I love *Glee*, *Glee* was so amazing.' Lady Gaga

'*Glee* verheft tranentrekker tot kunstvorm.' NRC *Next*

'Echt een ontzettende verrassende serie.' Albert Verlinde

'*Glee* is een gelaagde, goed geschreven serie vol ironie en slimme terzijdes.' Het Parool

'I thought the Madonna episode of *Glee* was brilliant on every level.' Madonna

'De tv-show is al aan meer dan twintig landen verkocht.' *Spits*